Besser essen
Gemüse

Besser essen

Gemüse

Über 100 köstliche
Variationen

Genehmigte Lizenzausgabe 1994
Nikol Verlagsvertretungen GmbH, Hamburg
ISBN 3-930656-05-1

Inhalt

Vorwort

Gemüse bunt, leicht, vitaminreich und gesund – jede Jahreszeit bietet eine Vielfalt an heimischen und exotischen Gemüsen an. Das Frühjahr mit seinen zarten duftenden Kräutern, Spargel, Avocados, Spinat, Artischocken, Sellerie usw. Das Sommergemüse mit einem kaum überschaubaren bunten Angebot an Blumenkohl, Erbsen, Zucchini, Auberginen, Paprika, Tomaten, Gurken, Möhren, Kohlrabi usw. Der Herbst mit seinen leuchtenden goldenen Farben bringt Mais, Zwiebeln, Lauch, Kartoffeln, Pilze und andere Sorten auf den Markt. Die Küche muß im Winter nicht grau und eintönig sein, es gibt wunderbares Wintergemüse wie z.B. Rosenkohl, Grünkohl, Rote Rüben, Kohl in seiner Vielfalt, Steckrüben, Schwarzwurzeln, Chinakohl, Chicorée, Eßkastanien und vieles mehr. Nicht zu vergessen die exotischen Köstlichkeiten, die es rund ums Jahr zu kaufen gibt. Mit Gemüse kann man vielseitige Gerichte zubereiten wie z.B. zarte vitaminreiche Vorspeisen oder köstliche Suppen. Ein leckerer Auflauf, verfeinert mit aromatischen Kräutern, sorgt für eine willkommene Abwechslung auf dem Mittagstisch. Bunte leichte Gemüseeintöpfe, angereichert mit Fleisch, Nudeln oder Kartoffeln, schmecken auch dem verwöhnten Feinschmecker. Ob luftige, leichte Soufflés, appetitliche Gratins, internationale, exotische Gerichte, deftige Wintertöpfe, knakkige Gemüsebeilagen, Ragouts oder pikant eingelegtes Gemüse; für jeden Geschmack ist etwas dabei. Die Rezepte, sind in der Regel für 4 Personen berechnet, falls nicht anders angegeben und in der Reihenfolge der Zubereitung aufgelistet.

Hier kann man nur noch viel Spaß beim Nachkochen und einen guten Appetit wünschen.

Exotische Gemüse

Artischocke – der schuppige Blütenstand einer Distelart, die einen feinherben, zartbitteren Geschmack hat. Artischocken nicht roh verzehren, sondern gekocht oder geschmort.

Aubergine – auch "Eierfrucht" genannt, hat eine dunkelviolette Schale und cremefarbenes Fleisch. Auberginen sollte man nie roh verzehren, sondern nur gekocht, geschmort, gegrillt oder fritiert.

Avocados – birnenförmige tropische Früchte mit Kern. Sie sind je nach Sorte hell- bis dunkelgrün, manchmal fast schwarz. Reife Avocados schmecken sahnigmild und leicht nußartig. Man kann sie mit salzigen und süßen Zutaten verarbeiten.

Broccoli – schmeckt feiner als Kohl. Man ißt nicht nur die zarten grünen Röschen, sondern kann auch den fleischigen Strunk kleingeschnitten genießen, der leicht nach Spargel schmeckt.

Chicorée – ist eine botanische Abart des Kaffee-Ersatzes "Zichorie". Die Wurzel wird zunächst im Freiland angebaut und ihre Triebe als Viehfutter verwendet. Das zweite Jahr kommt sie in Gewächshäuser. Dort wird sie vor Kälte, Luftzug und Tageslicht abgeschirmt. Der blaßgelbe

Trieb mit einem länglich-ovalen festen Blattkopf wird als Salat oder Gemüse gegessen.

Fenchel – ist ein typisch italienisches Gemüse. Der Fenchel ist eine weiß-grünliche Knolle mit festen, fleischig gerippten Blättern, an den röhrenförmigen Blattstielen wächst ein Dill-ähnliches Kraut, er schmeckt leicht nach Anis.

Frühlingszwiebeln – oder Lauchzwiebeln sehen wie junger Lauch aus, sind aber Zwiebelgewächse. Sie werden in Bündeln angeboten.

Kirschtomaten – auch Cocktail- oder Partytomaten genannt, kommen aus dem Mittelmeerraum und sind wegen ihres konzentrierten Aromas beliebt. Sie sind schön rot und haben Kirschgröße.

Mangold – ist mit dem Spinat verwandt. Das Gemüse hat einen breiten, weißen fleischigen Stiel und glänzende breite, kräftig grüne Blätter, die an Spinat erinnern. Sein Geschmack ist kräftiger als Spinat, die Blätter und die Stengel können als Gemüse verwendet werden.

Okra – ist eine hellgelb-grüne sechseckige Schote, ähnlich der Peperoni, die zur Gattung der Malvenpflanze gehört. Sie schmecken

9

etwas nach Bohnen, sind sehr mild und apart.

Spargel, grün – wächst im Gegensatz zum weißen oberirdisch und braucht kaum geschält zu werden. Die Enden sollte man beim grünen Spargel abschneiden.Er ist zart und hat einen interessanten Geschmack.

Schalotten – sind eine Zwiebelart von leicht voiletter Färbung, die ebenso wie der Knoblauch mehrere Zehen unter der obersten Haut aufweist.

Sojasprossen – werden aus der Sojabohne oder der Mungobohne gewonnen. Die Sojasprosse ist größer als die der Mungobohne. Man kann

Sojasprossen für Salate oder als Gemüse zubereiten, als Salat sollten sie aber vorher kurz blanchiert werden.

Staudensellerie – oder Bleichsellerie wächst in Büscheln, hat fleischige, gelbliche bis hellgrüne Stengel und zarte Blätter.

Zucchini - sind kürbisartige Gewächse und den Gurken ähnlich. Sie sind meist mittel- bis dunkelgrün, weiß gestreift oder gefleckt, es gibt auch gelbe Früchte. Die Zucchini haben roh einen nußartigen Geschmack. Kleine Früchte werden ungeschält in Scheiben oder Stifte geschnitten verarbeitet.

Aufbau der Rezepte

Die Rezepte sind, wenn nicht anders angegeben, für 4 Personen berechnet. Die Zutaten sind in der Reihenfolge der Verwendung aufgelistet.
Die erstklassige Qualität von Gemüse und sonstigen Zutaten sind eine Grundvoraussetzung für gutes Gelingen, ein schmackhaftes, gesundes und bekömmliches Essen. Frische Kräuter und Gewürze tragen ebenfalls zur geschmacklichen Steigerung der Gerichte bei.

Abkürzungen der Maßeinheiten:
g = Gramm
kg = Kilogramm
l = Liter
1 TL = 1 Teelöffel = 5 ml
1 EL = 1 Eßlöffel = 15 ml
1 Tasse = ca. 1/8 l = 125 ml, 1 ml = 1 g
1 Msp. = 1 Messerspitze
1 gestr. = 1 gestrichener
1 Weinglas = ca. 1/8 l = 125 ml
1 Schnapsglas = ca. 2 cl = 20 ml

Gemüse – Vorspeisen

TOMATEN-KERBEL-PARFAIT MIT MATJES

*6 Blatt weiße Gelatine, 500 g passierte Tomaten, Salz,
Worcestersauce, Cayennepfeffer, 1 cl Aquavit, 20 g Kerbel, 125 g süße
Sahne, 8 Matjesfilets, 250 ml schwarzer Tee, 4 Frühlingszwiebeln,
1 EL eingelegte grüne Pfefferkörner*

Die Gelatine in kaltem Wasser einweichen. Die passierten Tomaten leicht erwärmen, mit Salz, einem Spritzer Worcestersauce, Cayennepfeffer und Aquavit pikant abschmecken. Die Gelatine ausdrücken, zugeben, unter Rühren auflösen und abkühlen lassen. Den Kerbel waschen, trockentupfen und kleinschneiden. Die Sahne steif schlagen und zusammen mit dem Kerbel unter die leicht angezogene Tomatenmasse heben. Eine kleine Terrinenform mit 3/4 l Inhalt kalt ausspülen und die Parfaitmasse einfüllen. Das Parfait im Kühlschrank 3 Stunden erstarren lassen. Die Matjesfilets 30 Minuten mit Tee bedeckt wässern, dann abtropfen lassen und trockentupfen. Die Frühlingszwiebeln putzen und nur die hellen Teile schräg in Ringe schneiden. Die Pfefferkörner abtropfen lassen. Das Parfait aus der Terrine lösen und in zwölf Scheiben schneiden. Jeweils drei Scheiben, sich leicht überlappend, auf einem Teller anrichten und mit je 2 Matjesfilets belegen. Die Matjesfilets mit den Frühlingszwiebeln und dem grünen Pfeffer bestreuen. Mit Toastbrot servieren.

GEGRILLTE AUSTERN-PILZE AUF ZARTEM SOMMERSALAT

*Für den Salat: 1 Lollo bianco oder 1 kleiner Kopfsalat,
1 junge Karotte, 1 kleiner Zucchino, 400 g kleine Austernpilze,
2 EL Olivenöl, 20 g Butter, Zitronenpfeffer, Salz. Für die Marinade:
5 EL kaltgepreßtes Olivenöl, 5 TL Zitronensaft, Salz, schwarzer
Pfeffer. Zum Garnieren: Kapuzinerkresseblüten und Blätter,
Schnittlauchspitzen*

Den Salat putzen, waschen und trockentupfen. Die Karotte schälen und in dünne, schräge Scheiben hobeln. Den Zucchino waschen, putzen und in Scheiben schneiden. Die Austernpilze vom Strunk schneiden, putzen oder eventuell mit etwas Küchenpapier abreiben. Die Unterseite der Pilze mit etwas Olivenöl einpinseln. Die Oberseite der Pilze mit kleinen Butterflöckchen belegen, würzen und auf den Holzkohlengrill mit den Lamellen nach unten 3 - 5 Minuten grillen, bis die Butter flüssig ist, die Pilze nicht wenden. Die Pilze kann man auch in einer Pfanne zubereiten. Den Salat auf vier Teller legen. Aus dem Öl, dem Zitronensaft, Salz und frisch gemahlenem Pfeffer eine Marinade rühren und über den Salat träufeln. Die Austernpilze noch warm auf dem Salat anrichten. Mit gewaschener und abgetropfter Kapuzinerkresse und Schnittlauchspitzen garnieren. Dazu Butterbaguette servieren. *Abbildung rechts*

GEEISTE GURKENSPEISE

*250 g Speisequark, 100 g süße Sahne, Salz, weißer Pfeffer,
6 Knoblauchzehen, 2 kleine Gewürzgurken, 1 Salatgurke, 1 Bund
Schnittlauch, 1 Bund Dill, schwarzer Pfeffer*

Den Quark mit der Sahne verrühren und mit Salz und Pfeffer abschmecken. Die Knoblauchzehen schälen und durch die Presse

drücken. Die Gewürzgurken in Würfel schneiden. Die Salatgurke schälen, der Länge nach halbieren und mit einem Teelöffel die Kerne herausschaben. Die Gurke raspeln und mit der Quarkmasse verrühren. Die Kräuter waschen, fein schneiden und zusammen mit dem Knoblauch und den Gurkenwürfeln unter die Masse mischen. Kalt stellen. Mit frisch gemahlenem Pfeffer nochmals abschmecken.

Die Gurkenspeise eiskalt mit Weiß- oder Schwarzbrot servieren.

PAPRIKA IN MARINADE

Je 1 rote, gelbe, grüne und orange Paprikaschote (800 g).
Für die Marinade: 6 EL Keimöl, 3 EL Rotweinessig, 1/2 Bund
Basilikum, 1/2 TL Oregano, Salz, schwarzer Pfeffer

Den Grill vorheizen. Die Paprikaschoten auf eine Fettpfanne legen und unter den Grill schieben. Häufig wenden, bis die Haut rundum braun ist und Blasen wirft. Die Paprikaschoten abkühlen, häuten, die Kerne entfernen und in Streifen schneiden. Die Schoten in eine Schale legen. Die Marinade aus Öl, Essig, den gewaschenen Basilikumblättern und dem Oregano anrühren. Mit Salz und frisch gemahlenem Pfeffer abschmecken und über das Gemüse gießen, gut durchziehen lassen.

GEMÜSE-CARPACCIO

1 Zucchino (200 g), 1 Bund Radieschen, 2 Karotten,
1 Kohlrabi. Für die Marinade: 1 TL Kräutersenf, 2 EL Zitronensaft,
Salz, schwarzer Pfeffer, 1 Knoblauchzehe, 4 EL Olivenöl.
Zum Garnieren: 4 Stengel glatte Petersilie

Den Zucchino und die Radieschen putzen, waschen und in kleine Würfel schneiden. Die Karotten und den Kohlrabi schälen und mit einem

Gemüsehobel in dünne Scheiben schneiden. Aus Senf, Zitronensaft, Salz, frisch gemahlenem Pfeffer, ausgepreßter Knoblauchzehe und Olivenöl eine Marinade rühren. Die Petersilie waschen und in Blättchen pflücken. Die Kohlrabi- und Karottenscheiben dekorativ auf vier Teller auflegen, die Zucchini und Radieschenwürfel darüber streuen und mit der Marinade beträufeln. Das Carpaccio mit den Petersilienblättchen garnieren und als leichte Sommer-Vorspeise servieren.

ERBSENSUPPE MIT HUMMERKRABBEN

300 g tiefgekühlte Erbsen, 1/2 l Rinderbrühe, 10 g Butterschmalz, 10 g Mehl, Salz, weißer Pfeffer, 150 g Cremè double. Außerdem: 4 küchenfertige Hummerkrabben (200 g), 2 EL Butter. Zum Garnieren: Kresseblättchen

Die Erbsen in der Rinderbrühe auftauen und aufkochen lassen. Durch ein Sieb gießen und abtropfen lassen. Die Hälfte der Erbsen mit der Brühe mit einem Mixstab pürieren. Die andere Hälfte der Erbsen als Einlage beiseite stellen. Das Butterschmalz mit dem Mehl unter Rühren zu einer Mehlschwitze aufkochen, mit der Erbsenbrühe aufgießen und aufkochen lassen. Mit Salz und frisch gemahlenem Pfeffer abschmecken. Zum Schluß die ganzen Erbsen zugeben und die Suppe warm stellen.

Die Suppe mit der Cremè double abschmecken. Die Hummerkrabben unter fließendem kalten Wasser abspülen, den Darm entfernen und trockentupfen. Die Butter in einer Pfanne zerlasssen und die Krabben von jeder Seite ca. 3 Minuten braten. Die Kresseblättchen waschen und abtropfen lassen. Die Suppe in vier kleine Suppentassen füllen, die Hummerkrabben einlegen und mit den Kresseblättchen bestreuen. Die Suppe heiß mit französischem Weißbrot servieren.

AUBERGINEN UND ZUCCHINI, MARINIERT

1 Aubergine (250 g), 1 Zucchino (200 g), Salz, 50 g Mehl, 125 ml Keimöl. Für die Marinade: 1 Packung Tomato al Gusto mit Basilikum, 4 EL Keimöl, 6 EL Sherryessig, Salz, schwarzer Pfeffer, 2 Knoblauchzehen

Die Aubergine und den Zucchino putzen, waschen und der Länge nach in dünne Scheiben schneiden, am besten mit einem Gemüsehobel. Die Auberginenscheiben mit Salz bestreuen, um das Fruchtfleisch zu entwässern. 15 Minuten ziehen lassen und das Salz unter kaltem Wasser abbrausen. Die Scheiben gut trockentupfen. Die Auberginen- und Zucchinischeiben in Mehl wenden und in heißem Öl anbraten. Aus den angegebenen Zutaten eine Marinade rühren, die Knoblauchzehen schälen, durchpressen und ebenfalls zugeben. Das Gemüse in eine Schüssel oder Schale legen und die Marinade darüber gießen. Sofort warm essen oder 2 - 3 Stunden kühl stellen und ziehen lassen. *Abbildung unten*

GEFÜLLTE WIRSING-BÄLLCHEN

---

*1 Kochbeutel Country-Reis (125 g), 1 Zwiebel,
2 EL Pflanzenöl, 1 EL Semmelbrösel, 1 Ei, Salz, schwarzer Pfeffer,
geriebene Muskatnuß, 1 EL gehackte Kräuter, 1 Wirsingkohl,
mittelgroß. Zum Braten: 2 EL Pflanzenöl. Außerdem: 1 gestr.
TL Gemüsebrühe, 2 EL Cremè fraîche, 1 Tomate*

Den Kochbeutel Country-Reis nach Packungsanweisung zubereiten und abkühlen lassen. Die Zwiebel schälen und klein würfeln. Das Pflanzenfett erhitzen und die Zwiebel darin andünsten. Die restlichen Zutaten und die Gewürze zum Reis geben und durchmischen. Den geputzten und gewaschenen Wirsing im kochendem Salzwasser 3 Minuten blanchieren. Die Blätter abtrennen und jeweils 1 - 2 Blätter in eine Kelle legen. Die Füllung hineingeben und die Blätter zusammenlegen. Die so geformten Wirsingbällchen in Öl anbraten, mit etwas Kohlwasser auffüllen, mit Gemüsebrühe würzen und gar schmoren lassen. Die Sauce mit Cremè fraîche binden. Die Tomate waschen, den Stielansatz herausschneiden und würfeln. Die Wirsingbällchen in der Sauce anrichten und mit der gewürfelten Tomate bestreuen. *Abbildung oben*

CARPACCIO VON AVOCADO

*Für die Marinade: 6 EL Weißweinessig, Salz, weißer Pfeffer,
etwas Oregano, 4 EL Walnußöl. Außerdem: 2 Avocados (ca. 400 g),
1 EL Zitronensaft, 80 g Champignons, 60 g Bündnerfleisch in
dünnen Scheiben, 100 g Kirschtomaten, 1 Schalotte*

Aus Essig, Salz, frisch gemahlenem Pfeffer, Oregano und Walnußöl mit dem Schneebesen eine cremige Marinade rühren. Die Avocados schälen, längs halbieren und vom Kern befreien. Der Länge nach in dünne Scheiben schneiden und auf eine Platte legen. Mit dem Zitronensaft beträufeln und mit der Hälfte der Marinade begießen. Mit Alufolie zudecken und im Kühlschrank 30 Minuten ziehen lassen. In der Zwischenzeit die Champignons putzen, wenn nötig abbrausen und blättrig aufschneiden, sofort mit Zitronensaft beträufeln, damit sie hell bleiben. Das Bündnerfleisch in schmale Streifen schneiden, die Kirschtomaten waschen und vierteln, dabei den Stengelansatz entfernen. Die Schalotte schälen, fein hacken und hinzufügen. Alles in eine Schüssel füllen und mit der restlichen Marinade gut mischen. Die Avocadoscheiben auf vier Teller verteilen. Den Salat auf die Avocadoscheiben verteilen. Mit frisch geröstetem Graubrot und Butter als Vorspeise servieren.

KARTOFFELPUFFER NACH SCHWEDISCHER ART

*500 g rohe Kartoffeln, 1 Zwiebel, Salz, 2 Eier, 1 EL Mehl.
Zum Ausbacken: Pflanzenfett oder Öl. Außerdem: 150 g Cremè
fraîche, 4 Scheiben geräucherter Lachs, schwarzer Pfeffer*

Die Kartoffeln schälen, reiben und etwas ausdrücken. Die Zwiebel schälen und ebenfalls reiben. Alles in eine Schüssel geben und mit

Salz, den Eiern und dem Mehl zu einem Teig verarbeiten. Das Fett in der Pfanne erhitzen und handtellergroße, knusprige Puffer ausbacken. Die Puffer auf Tellern anrichten und auf jeden einen Eßlöffel Cremè fraîche geben. Eine Lachsscheibe obenauf legen, mit frisch gemahlenem Pfeffer überstreuen und heiß servieren.

KARTOFFELPUFFER NACH RUSSISCHER ART

500 g rohe Kartoffeln, 1 Zwiebel, Salz, 2 Eier, 1 EL Mehl. Zum Ausbacken: Pflanzenfett oder Öl. Außerdem: 150 g Cremè fraîche, 1 Glas Deutscher oder Russischer Kaviar (100 g)

Die Kartoffeln schälen, reiben und etwas ausdrücken. Die Zwiebel schälen und ebenfalls reiben. Alles in eine Schüssel geben, mit Salz, den Eiern und dem Mehl zu einem Teig verarbeiten. Das Fett in der Pfanne erhitzen und handtellergroße, knusprige Puffer ausbacken. Die Puffer auf einem Teller anrichten, auf jeden 1 Eßlöffel Cremè fraîche geben, mit 1 Teelöffel Kaviar garnieren und heiß servieren.

AVOCADOMOUSSE MIT ROQUEFORT

3 mittlere Avocado (250 g Fruchtfleisch), Saft von 1 Zitrone, 125 g Roquefort, weißer Pfeffer, 125 g Cremè fraîche

Avocados halbieren, die Schalen dabei nicht beschädigen, Kern entfernen und Fruchtfleisch herausheben. Mit Zitronensaft beträufeln und

19

durchmischen. Das Fruchtfleisch mit Roquefort im Mixer pürieren. Mit frisch gemahlenem Pfeffer abschmecken. Die Cremè fraîche mit einem Schneebesen gut durchrühren und unter die Avocadomasse heben. Die fertige Mousse in die Avocadohälften füllen und servieren.

MARINIERTE KAROTTEN UND STAUDENSELLERIE

1/2 Bund Karotten (250 g), 1/2 Staudensellerie (250 g), 6 EL Keimöl. Für die Marinade: Saft und Schale von 1 unbehandelten Zitrone, 1/2 Bund Zitronenmelisse, Salz, Zitronenpfeffer, 1 Prise Zucker

Die Karotten schälen, waschen und in dünne Scheiben schneiden. Den Staudensellerie waschen und in Ringe schneiden. Das Öl in einen Topf geben und erhitzen, die Karotten und den Sellerie darin dünsten. Den Zitronensaft, die in Streifen geschnittene Schale und die gewaschenen Zitronenmelisseblätter dazugeben und vermischen. Mit Salz, Zitronenpfeffer und Zucker abschmecken. Das Gemüse warm essen oder zugedeckt erkalten lassen; dazu paßt Stangenweißbrot.

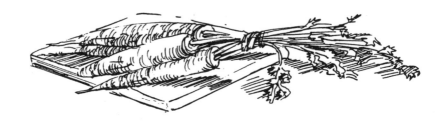

Foto zu Rezept "Mandelreis mit Gemüse-Curry" S. 27

Gemüse – Hauptgerichte

BUNTES GEMÜSE MIT KRÄUTERSAHNESAUCE

800 g verschiedene geputzte Gemüsesorten (z.B. Kohlrabi, Lauch, Karotten, Blumenkohl, Broccoli, Fenchel, Lauch usw.), 1/2 l Wasser, Salz. Für die Sauce: 2 Schalotten (25 g), 1 Bund glatte Petersilie, 30 g Butter, 5 EL Gemüsebrühe, 2 EL Weißwein, 150 ml Kaffeesahne, schwarzer Pfeffer, 1 Prise Zucker

Das Gemüse putzen, waschen und je nach Art zerkleinern. Das Wasser mit dem Salz zum Kochen bringen und das Gemüse hineingeben, zugedeckt in 10 - 15 Minuten bißfest garen. Für die Sauce die Schalotten schälen und sehr fein hacken. Die Petersilie waschen und grob hacken. Die Butter in einem Töpfchen erhitzen und die Schalotten darin glasig dünsten. Mit Gemüsebrühe, Weißwein und Sahne ablöschen, einmal aufkochen lassen.

Die Petersilie hinzufügen und mit einem Schneidstab des Handrührgerätes oder im Mixer so lange durcharbeiten, bis eine sämige hellgrüne Sauce entstanden ist. Mit Salz, frisch gemahlenem Pfeffer und Zucker abschmecken. Das Gemüse auf eine vorgewärmte Platte anrichten, die Kräutersahnesauce separat dazu reichen.
Das Gemüse mit kurz gebratenem Fleisch und neuen Kartöffelchen servieren.

FRITIERTE GEMÜSEPLATTE

*Für den Teig: 125 g Mehl, 2 Eigelb,
125 ml Bier, Salz, weißer Pfeffer, 2 Eiweiß.
Außerdem: 200 g Zucchini, 250 g Broccoli,
100 g Karotten, 12 frische Champignons, Salzwasser,
20 g Butterschmalz, Salz, 1 Zwiebel (60g), je 4 Stengel
krause Petersilie und Zitronenmelisse, weißer Pfeffer.
Zum Fritieren: 500 g Butterschmalz*

Für den Teig das Mehl, die Eigelbe und das Bier mit dem elektrischen Handrührgerät verquirlen. Mit Salz und frisch gemahlenem Pfeffer würzen und zum Schluß die steif geschlagenen Eiweiße mit dem Schneebesen unterheben. Den Teig 15 Minuten ruhen lassen. Inzwischen die Zucchini, den Broccoli, die Karotten und die Champignons putzen und waschen. Die Zucchini in 3 cm dicke Scheiben schneiden. Den Broccoli in kleine Röschen zerteilen, den Stiel in dünne Scheiben, die Karotten in kurze Streifen schneiden. Die drei Gemüsesorten ca. 2 - 3 Minuten in Salzwasser garen. Kalt abbrausen, abtropfen und abkühlen lassen. Die geputzen Champignons kurz in erhitztem Butterschmalz in der Pfanne andünsten und abkühlen lassen, danach salzen. Die Zwiebel schälen und in nicht zu dünne Ringe schneiden. Die Petersilie und die Zitronenmelisse kurz überbrausen und trockentupfen. Das Butterschmalz in einem Topf erhitzen. Die vorbereiteten Zutaten in den Bierteig tauchen, etwas abtropfen lassen und im heißen Butterschmalz ca. 2 Minuten fritieren. Mit dem Schaumlöffel herausheben und auf Küchenpapier abtropfen lassen. Das fritierte Gemüse mit Fonduesaucen, Chutneys oder Quark-Dips servieren.

LAUCH MIT SCHINKENSAUCE

4 dicke Lauchstangen (ca. 800 g), 250 ml Wasser,
1 TL gekörnte Brühe, Salz, Saft von 1 Zitrone. Für die Sauce:
50 g Butter, 2 EL Mehl, 250 ml Rinderbrühe, 2 EL Zucker,
1 EL Essig-Essenz 25%, 200 g gekochter Schinken

Von den Lauchstangen den oberen grünen Blattanfang abschneiden. Die Stangen gründlich waschen und abtropfen lassen. In einen länglichen Topf geben. Wasser, Salz, gekörnte Brühe und Zitronensaft verrühren und hinzugeben. Zugedeckt ca. 20 Minuten kochen lassen. In der Zwischenzeit in einem zweiten Topf die Butter zerlassen, das Mehl unter Rühren hinzugeben und eine helle Mehlschwitze herstellen. Mit der heißen Brühe ablöschen und leicht einkochen lassen. Den Zucker und die Essig-Essenz unterrühren. Den Schinken würfeln und kurz in der Sauce heiß werden lassen. Die Lauchstangen abtropfen lassen und mit der Schinkensauce getrennt zu kurzgebratenem Fleisch reichen.

ZARTE ARTISCHOCKEN MIT NATUR- & WILDREIS

12 kleine, zarte junge Artischocken. Für die Füllung:
100 g frische Kalbsbratwurst, 2 Knoblauchzehen, 1 Bund glatte
Petersilie, Salz, schwarzer Pfeffer. Für die Form: 1 EL Butter.
Außerdem: 1/2 l trockener Rotwein. Für die Sauce: 2 große Eigelb.
Als Beilage: 2 Tassen Natur- und Wildreismischung, 4 Tassen
Wasser, Salz, 1 EL Butter, 3 frische Salbeiblätter

Eventuell die äußeren dunklen Artischockenblätter abzupfen. Die Blätter oben etwas abschneiden. Die Artischocken innen mit einem Teelöffel leicht aushöhlen. Die Stiele am Boden flach abschneiden. Die ge-

putzten Artischocken sofort mit Zitronensaft beträufeln, damit sie nicht anlaufen. Für die Füllung Bratwurstbrät aus der Wurstpelle in eine Schüssel drücken. Die Knoblauchzehen schälen, durchpressen und hinzufügen. Die gewaschene abgetropfte und gehackte Petersilie untermengen. Die Farce gut verkneten und pikant mit Salz und frisch gemahlenem Pfeffer würzen. Die Artischocken mit der Farce füllen und nebeneinander in eine flache, feuerfeste, mit Butter gefettete Auflaufform setzen. Den Rotwein dazugießen. Den Backofen auf 200 Grad C vorheizen und zugedeckt ca. 20 Minuten schmoren lassen. Die Artischocken sind gar, wenn sich die Blätter

wie bei einer Chrysanthemenblüte auffächern. Für die Sauce die Eigelbe mit den Quirlen eines elektrischen Handrührgerätes, am besten im Wasserbad, dick aufschlagen. Nach und nach insgesamt 200 ml durchgesiebten Rotweinfond (von den Artischocken), zugießen und alles gut verrühren. Mit Salz und frischgemahlenem Pfeffer abschmekken. Den Reis mit 4 Tassen Salzwasser aufsetzen, aufkochen und zugeckt 25 Minuten quellen lassen. Die Butter zugeben und mit den gewaschenen und gehackten Salbeiblättern verfeinern.
Die Artischocken mit dem Reis und der Rotweinsauce servieren.

Abbildung oben

25

SELLERIE MIT FLEISCHKLÖSSCHEN

1 Sellerieknolle (1 kg), 1 1/2 l Wasser,
1 TL Salz, 1 EL Zitronensaft, 1 EL Zucker, 1 EL Butter.
Für die Sauce: 40 g Butter, 40 g Mehl, 1/2 TL Zucker, Salz,
1 EL Essig-Essenz 25%, 1 Eigelb, 125 g Sahne

Den geschälten, in Scheiben geschnittenen Sellerie in Salzwasser mit Zitronensaft, Zucker und Butter 30 Minuten gar kochen. Herausnehmen, in Streifen schneiden und warm stellen. Den Sud für die Sauce beiseite stellen. Für die Sauce aus Butter und Mehl eine Mehlschwitze rühren. Mit einem Teil vom Sud aufgießen und unter Rühren 5 Minuten kochen lassen. Mit Zucker, Salz und Essig-Essenz süßsauer abschmecken. Das Eigelb mit der Sahne verquirlen und unter die nicht mehr kochende Sauce rühren. Die Sauce über den warmen Sellerie gießen und mit Fleischklößchen (Rezept s. Seite 58) und Petersilienkartoffeln servieren.

FLEISCH-GEMÜSE-FONDUE MIT TOFU

500 g Rinderfilet, 600 g gemischtes Gemüse
(z.B. Chinakohl, Paprikaschoten, Staudensellerie, Blumenkohl,
Zucchini, Broccoli, Fenchel, Möhren), Salzwasser, 300 g Tofu,
2 l Hühnerbrühe, 2 Frühlingszwiebeln, 1 EL Sojasauce

Das Rinderfilet einfrieren, 4 Stunden vor Gebrauch aus dem Gerät nehmen, nach ca. 3 1/2 Stunden das Filet mit einer elektrischen Maschine in dünne Scheiben schneiden und auf einer Platte zusammengerollt anrichten. Das Gemüse putzen, waschen und je nach Art zerkleinern. Den Staudensellerie, die Blumenkohlröschen, den Broccoli, den Fenchel und die Möhren im kochenden Salzwasser 7 Minuten vorgaren.

Den Tofu in Würfel schneiden und anrichten. Die Hühnerbrühe aufkochen. Die Frühlingszwiebeln in dünne Ringe schneiden und hinzufügen. Mit der Sojasauce würzen. Die Brühe in einen Fonduetopf gießen und auf einen Rechaud stellen. Jeder Gast taucht Fleisch, Gemüse oder Tofu mit Fonduegabeln oder kleinen Sieben in die siedende Brühe. Die Tofuwürfel 1 - 2 Minuten erwärmen, das Gemüse benötigt 1 - 3 Minuten Garzeit. Die Rinderfiletscheiben nur kurz ziehen lassen. Zum Fondue verschiedene Saucen und Stangenweißbrot reichen.

MANDELREIS MIT GEMÜSECURRY

*2 Kochbeutel Natur-Reis, 1 kg gemischtes Gemüse
(z.B. Staudensellerie, Broccoli, grüner Spargel, Erbsen),
1 Zwiebel, 1 Knoblauchzehe, 2 EL Öl, 2 TL Kurkuma (Gelbwurz),
1 1/2 TL Kreuzkummel, 1 TL Ingwerpulver, 1 TL gemahlener
Koriander, 1 Prise Cayennepfeffer, 2 EL Öl, 150 ml Sojamilch,
Salz, 2 EL gehackte Petersilie, 40 g Mandelblättchen,
1 EL Butter, 100 g Cremè fraîche*

Den Kochbeutel nach Packungsanleitung 15 Minuten garen, abtropfen lassen und warm stellen. Das Gemüse putzen, waschen und je nach Art zerkleinern. Die Zwiebeln und den Knoblauch schälen, dann kleinhakken. Das Öl erhitzen und alle Gewürze darin unter Rühren anrösten. Die Gewürze unter den Reis mischen. Die Zwiebeln, den Knoblauch und das Gemüse in dem heißen Öl andünsten; die Sojamilch dazugeben und unter häufigem Rühren in etwa 15 Minuten bißfest garen. Mit Salz abschmecken und mit Petersilie bestreut auf vorgewärmte Teller geben. Die Mandelblättchen in der Butter anrösten und einen Teil unter den Reis mischen, den Rest über das Gemüse streuen. Den Reis mit dem Gemüsecurry und der Cremè fraîche anrichten. *Abbildung Seite 21*

Gefülltes Gemüse

GEFÜLLTE PAPRIKASCHOTEN

4 große rote oder grüne Paprikaschoten.
Für die Füllung: 750 g gemischtes Hackfleisch, 2 Eier, 1 Bund
Petersilie, 2 Zwiebeln, 1 Knoblauchzehe, 50 g Semmelbrösel,
Salz, schwarzer Pfeffer, 2 EL Butter, 125 ml Brühe.
Für die Sauce: 200 g saure Sahne, 2 EL Ketchup

Von den Paprikaschoten einen Deckel abschneiden, von Kernen befreien und von innen und außen gründlich waschen. Das Hackfleisch mit den Eiern vermischen. Die Petersilie waschen, trockentupfen und fein hacken. Die Zwiebeln und die Knoblauchzehe schälen und fein hacken. Die vorbereiteten Zutaten mit den Semmelbröseln, Salz und frisch gemahlenem Pfeffer zum Fleischteig geben und gut durchkneten. Den Fleischteig einfüllen, Deckel aufsetzen und in einem Topf, stehend nebeneinander setzen. Die Brühe hinzugießen und im geschlossenen Topf ca. 30 Minuten garen. Die Sauce mit saurer Sahne und Ketchup abrunden.Dazu schmecken Salzkartoffeln oder Kartoffelpüree.

Foto zu Rezept unten, "Reissalat mit Zucchini" S. 74 und "Spinatreis" S. 75

GEFÜLLTE AUBERGINEN

---

2 große Auberginen, etwas Hefewürze (Reformhaus),
100 g Langkorn-Naturreis, 1/2 l Wasser, Meersalz, 1 kleine Dose
(50 g) vegetarische Paste (Reformhaus), 1 mittelgroße Zwiebel,
2 EL Hefeflocken (Reformhaus), 2 Eier, 2 EL Vollkornsemmelbrösel,
1 EL gehackter Liebstöckel, 1 EL gehackte Petersilie, Meersalz,
schwarzer Pfeffer, etwas Muskat, 20 g geriebener Käse.
Für die Form: 1 EL Butter

Die Auberginen der Länge nach teilen, aushöhlen und in wenig Wasser einige Minuten dünsten. Danach mit Hefewürze leicht würzen. Den Naturreis waschen, in 1/2 l Salzwasser ca. 30 Minuten garen. Noch heiß mit der vegetarischen Paste vermengen. Etwas auskühlen lassen. Das Auberginenfruchtfleisch in Würfel schneiden. Die Zwiebel schälen und ebenfalls würfeln. Das in Würfel geschnittene Fruchtfleisch mit den Zwiebelwürfeln, den Hefeflocken, den Eiern, den Semmelbröseln, den gehackten Kräutern, Salz, frisch gemahlenem Pfeffer und geriebener Muskatnuß zu einem Teig verarbeiten. Die Auberginenhälften damit füllen und mit dem Käse bestreuen. Die Hälften in eine gefettete Auflaufform legen. Mit etwas Wasser angießen und im vorgeheizten Backofen bei 200 Grad C in 30 - 40 Minuten überbacken. Dazu paßt eine Tomatensauce, Reissalat mit Zucchini (Rezept s. Seite 74) und Spinatreis (Rezept s. Seite 75).

Abbildung Seite 29

GEFÜLLTE KOHLRABI

4 mittelgroße Kohlrabi. Für die Füllung: 500 g gekochter Schinken, 2 Eier, 1 Bund Petersilie, 2 Zwiebeln, 1 Knoblauchzehe, 50 g Semmelbrösel, Salz, schwarzer Pfeffer, 2 EL Butter, 125 ml Brühe. Für die Sauce: 200 g Crème fraîche, 2 EL Ketchup

Die Kohlrabi schälen, einen Deckel abschneiden und mit einem Eßlöffel aushöhlen. Das herausgeholte Kohlrabifleisch in Würfel schneiden, dann mit dem in kleine Würfel geschnittenen Schinken und den Eiern vermischen. Die Petersilie waschen, trocken tupfen und fein schneiden. Das zarte Kohlrabigrün kleinschneiden. Die Zwiebeln und die Knoblauchzehe schälen und fein hacken. Alle vorbereiteten Zutaten mit den Semmelbröseln, Salz und frisch gemahlenem Pfeffer zum Fleischteig geben und alles gut durchkneten. Die Kohlrabi mit dem Fleischteig füllen und den Deckel wieder aufsetzen. Die Kohlrabi in einen Topf setzen, die Brühe dazugießen und im geschlossenen Topf ca. 30 Minuten garen. Die Sauce mit Cremè fraîche und Ketchup abrunden.
Dazu schmecken neue Kartoffeln oder körnig gekochter Reis.

ROTKOHLROULADEN

8 große Rotkohlblätter, 750 g Schweinehackfleisch, 2 Eier,
1 Bund Petersilie, 2 Zwiebeln, 1 Knoblauchzehe, 50 g Semmelbrösel,
Salz, schwarzer Pfeffer, 2 EL Butter, 125 ml Brühe.
Für die Sauce: 200 g saure Sahne, 2 EL Ketchup

Die Kohlblätter ca. 3 Minuten in kochendem Wasser blanchieren und unter kaltem Wasser abschrecken. Das Hackfleisch mit den Eiern vermischen. Die Zwiebeln und die Knoblauchzehe schälen und fein hacken. Vorbereitete Zutaten mit Semmelbröseln, Salz und frisch gemahlenem Pfeffer zum Fleischteig geben, gut durchgeknetet auf die Kohlblätter streichen. Die Blätter aufrollen, die Seiten einklappen und mit einer Rouladenklammer oder Küchengarn zusammenhalten. Die Kohlrouladen nebeneinander in den Bratentopf legen, Butter zugeben und rundum anbraten. Die Brühe dazugeben und mit geschlossenem Deckel 30 Minuten garen. Die Sauce mit saurer Sahne und dem Ketchup abrunden.

GEFÜLLTE ZWIEBELN

4 große Gemüsezwiebeln, 100 g Sojagranulat (Reformhaus),
1 Ei, 2 EL Sojasauce, 3 EL Semmelbrösel, Meersalz, schwarzer Pfeffer,
1 EL Paprika edelsüß, 1 TL Majoran, 1 Bund Petersilie.
Für die Form: 1 EL Butter

Die Zwiebeln schälen und in kochendem Salzwasser ca. 10 Minuten kochen. Aus dem Wasser nehmen, einen Deckel abschneiden und aushöhlen. Das Zwiebelfleisch würfeln und mit dem nach Gebrauchsanweisung eingeweichten Sojagranulat, dem Ei, der Sojasauce, den Semmelbröseln, den Gewürzen und der gewaschenen und gehackten Petersilie vermischen. Die Masse in die Zwiebeln füllen und in einer feuerfesten gefetteten Form im vorgeheizten Backofen bei 200 Grad C 30 - 40 Minuten garen. Zwischendurch eventuell Flüssigkeit dazugeben. Mit Naturreis und Tomatensauce servieren. *Abbildung Seite 32*

31

GEFÜLLTE TOMATEN

8 mittelgroße Tomaten, 20 g Pflanzenmargarine,
2 Zwiebeln, 1 Knoblauchzehe, 750 g Spinat, Meersalz (Reformhaus),
schwarzer Pfeffer, 1 Bund Basilikum, 150 g geriebener Käse
(Greyerzer). Für die Form: 1 EL Pflanzenmargarine

Die Tomaten waschen, vom Stielansatz befreien, den Deckel abschneiden und die Tomaten mit einem Teelöffel aushöhlen. Danach leicht mit frisch gemahlenem Pfeffer bestreuen. Die Pflanzenmargarine erhitzen und die geschälten gewürfelten Zwiebeln und die Knoblauchzehe darin glasig dünsten. Den Spinat waschen, verlesen, dazugeben und ca. 5 Minuten mitgaren. Mit Salz, frisch gemahlenem Pfeffer und dem gewaschenen und fein gehackten Basilikum abschmecken. Die Masse abkühlen lassen und den Käse untermischen, dabei den Spinatsaft zurücklassen. Die Masse in die Tomaten füllen, den Deckel aufsetzen und in eine gefettete Auflaufform setzen. Den Backofen auf 200 Grad C vorheizen und die Tomaten 15 Minuten backen.
Mit Naturreis oder Kartoffelpüree servieren. *Abbildung unten*

Aus Ofen und Pfanne

ELSÄSSER ZWIEBELKUCHEN

Für den Hefeteig: 250 g Mehl, 15 g Hefe, 125 ml lauwarme Milch, 1 Prise Salz, 50 g Butter, 1 Ei. Für den Belag: 1 kg Zwiebeln, 150 g durchwachsener Speck, 400 g saure Sahne, 4 Eier, Salz, 1 EL Kümmel. Für die Form: 1 EL Butter

Das Mehl in eine Schüssel sieben und in die Mitte eine Mulde drücken. Die Hefe hineinbröckeln und mit etwas von der lauwarmen Milch anrühren – einen Vorteig ansetzen. Ein Tuch über die Schüssel legen und den Teig 20 Minuten warm stellen. Danach die restliche Milch, die Butter und das Ei hinzugeben. Mit einem kräftigen Kochlöffel oder der Küchenmaschine einen glatten Teig herstellen. Der Teig ist gut, wenn er sich vom Schüsselrand löst. Die Schüssel wieder abdecken und den Teig 15 Minuten gehen lassen. Auf einem bemehlten Brett nochmals durch kneten und in Kuchenformgröße ausrollen. Die Form ausbuttern und den Teig einlegen, an den Rändern etwas hochdrücken. Die Zwiebeln schälen und in Ringe schneiden. Den Speck würfeln und mit den Zwiebeln zusammen in eine Schüssel geben. Die saure Sahne und die Eier unter die Masse rühren und mit Salz abschmecken. Die Masse auf den Teig geben, den Kümmel darüber streuen und die Form nochmals 20 Minuten gehen lassen. Den Backofen auf 200 Grad C vorheizen und den Kuchen 40 Minuten backen.

STRUDEL MIT GEMÜSEFÜLLUNG

Für den Strudelteig: 300 g Mehl, 2 EL ÖL, 1 Ei, 1 Prise Salz, 125 ml Wasser. Für die Füllung: 500 g gemischtes Gemüse (z.B. Zucchini, Lauch, Blumenkohl, Austernpilze, Champignons, Paprikaschoten usw.), 100 g durchwachsener geräucherter Speck, 50 g Schweineschmalz, 2 EL Mehl, Salz, 125 ml Rinderbrühe, 4 EL Essig, 4 TL Kümmel, schwarzer Pfeffer, 1 EL brauner Zucker. Zum Bestreichen: 1 Eigelb, 3 EL Milch

Für den Teig das Mehl auf ein Backbrett sieben und eine Mulde drücken. Die übrigen Zutaten in die Mulde geben und alles zu einem glatten Teig verarbeiten. Den Teigklumpen einige Dutzend Male fest auf das Brett schlagen. Dann 1 Stunde ruhen lassen. Für die Füllung in der Zwischenzeit das Gemüse putzen, waschen und in Streifen schneiden. Den Speck in feine Würfel schneiden. Das Schmalz in einen großen Topf geben und den Speck darin auslassen. Das vorbereitete Gemüse und das Mehl hinzugeben, salzen und unter Rühren 12 Minuten garen. Die Rinderbrühe zugießen und weitere 12 Minuten dünsten, hin und wieder umrühren. Mit Essig, Kümmel, frisch gemahlenem Pfeffer und Zucker abschmecken, dann abkühlen lassen. Den Teig möglichst dünn ausrollen und auf ein bemehltes Küchentuch legen. Dann unter die Mitte des Teiges mit beiden Händen, die Handrücken nach oben, greifen und mit gespreizten Fingern von der Mitte aus nach allen Seiten ausziehen, bis er papierdünn ist. Die Füllung auf dem Teig verteilen, so daß ringsum ein Rand von 2 cm frei bleibt. Das Geschirrtuch leicht anheben und den Teig von der Längsseite her locker zusammenrollen. Die Teigenden zusammendrücken und unter den Strudel schieben. Ein Backblech mit Backpapier auslegen und den Strudel mit der Naht nach unten auf das Blech legen. Die Eigelbe mit der Milch verrühren und den Strudel damit bestreichen. Die Oberfläche mehrfach mit der Gabel einstechen. Den Backofen auf 200 Grad C vorheizen und den Strudel 35 - 40 Minuten backen.

STAUDENSELLERIE IM SCHINKENMANTEL

2 Staudensellerie (750 g), 250 ml Fleischbrühe, 200 g Reis,
1 Tasse Erbsen (100 g). Für die Form: 1 EL Pflanzenmargarine.
Außerdem: 4 Scheiben gekochter Schinken (200 g), 100 g Cremè
fraîche, Salz, 2 EL gehackte gemischte Kräuter

Den Sellerie waschen und der Länge nach halbieren. Die Fleischbrühe erhitzen und den Sellerie darin ca. 20 Minuten garen, dann abtropfen lassen. Die Brühe auf 1/2 l auffüllen, zum Kochen bringen und den Reis darin in 25 Minuten ausquellen lassen. Kurz vor Ende der Garzeit die Erbsen unterheben.

Den Reis in eine flache gefettete Form geben. Sellerie mit dem Schinken umwickeln und auf den Reis legen. Die Cremè fraîche mit Salz und den Kräutern vermischen und über den Schinken geben. Einige Minuten unter den vorgeheizten Grill schieben. Den Staudensellerie heiß servieren.

SPARGELQUICHE MIT KRÄUTER-FRISCHKÄSE

Für den Teig: 300 g Mehl, 150 g Butter, 1 Ei, Salz.
Für den Belag: 750 g Spargel (weiß oder grün). Für den Sud:
1 EL Zitronensaft, 1 EL Öl, 1 TL Zucker. Außerdem: 1 1/2 Becher
Kräuter-Frischkäse (225 g), 125 g süße Sahne, 1 Ei, 1 Bund Kerbel,
schwarzer Pfeffer, 1 Prise geriebene Muskatnuß

Das Mehl, die in Stücke geschnittene Butter, das Ei und das Salz in eine Rührschüssel geben und mit dem Knethaken des Handrührgerä-

tes gut miteinander verkneten, bis alle Zutaten bröselig sind. Dann den Teig mit den Händen zusammenkneten, in eine Frischhaltefolie ein-

wickeln und im Kühlschrank 30 Minuten ruhen lassen. Inzwischen den Spargel putzen und schälen (den grünen Spargel nur putzen) und in einem Sud aus Salzwasser, Zitronensaft, Öl und Zucker ca. 15 Minuten kochen. Den Spargel herausnehmen und abtropfen lassen. Den Frischkäse, die Sahne, das Ei sowie den gewaschenen und kleingehackten Kerbel (einige Kerbelblättchen zum Garnieren beiseite legen) miteinander verrühren und mit Pfeffer und Muskatnuß abschmecken. Den Backofen auf 225 Grad C vorheizen. Den Teig zu einem Kreis von ca. 30 cm Durchmesser ausrollen und den Boden einer Quiche-, Tarte- oder Springform von 28 cm Durchmesser damit auslegen. Dabei den Rand an der Seite festdrücken. Mit einer Gabel ein paarmal einstechen und 10 Minuten auf der untersten Schiene des Backofens vorbacken. Dann die Frischkäsemasse auf dem Teigboden verteilen und die Spargelstangen radspeichenförmig darauf anrichten. Die Quiche etwa 35 Minuten auf der unteren Schiene backen.

Die Quiche etwas abkühlen lassen und vor dem Servieren mit den Kerbelblättchen garnieren.

Abbildung oben

SPINATPUDDING

500 g Pellkartoffeln, 4 Eier, 1 - 2 EL Mehl (Type 1050)
(Reformhaus), Vollmeersalz, 1 mittelgroße Zwiebel, 20 g ungehärtete
Reformhaus-Pflanzenmargarine, 1 kg Spinat oder 2 Pakete
tiefgefrorener Spinat (je 450 g), 100 g geriebener Käse

Pellkartoffeln schälen und durch eine Presse drücken. Die Eier trennen und die Eigelbe mit Kartoffeln, Mehl, Gewürzen und, wenn nötig, mit etwas Milch verrühren. Zwiebel schälen, kleinhacken und in der Pflanzenmargarine leicht andünsten, ebenfalls den frischen gewaschenen und vorlesenen oder unaufgetauten Spinat 10 Minuten dünsten. Kartoffeln und Spinat miteinander vermischen, das steifgeschlagene Eiweiß und den Käse unterheben, dann die Masse in eine gefettete Puddingform füllen. Im Wasserbad im Backofen ca. 1 - 1 1/4 Stunden garen. Mit grünem Salat und Tomatensauce servieren. Tip: Man kann die Masse auch in einer Auflaufform garen.

Abbildung unten

GRATINIERTER MANGOLD

1 kg Mangold, 1/2 l Rinderbrühe. Für die Sauce:
2 EL Butter, 2 EL Mehl, 250 g saure Sahne, 2 Eigelb, Salz,
weißer Pfeffer, 1 Prise Zucker, geriebene Muskatnuß, 1 EL Kümmel,
150 g gekochter Schinken. Außerdem: 1 EL Butter

Den Mangold putzen, waschen und in Streifen schneiden. Die Brühe in einen Topf geben und zum Kochen bringen. Den Mangold darin 15 Minuten dünsten, herausheben, abtropfen lassen und grob hacken. Die Butter in einem Topf erhitzen, das Mehl hineingeben und eine helle Mehlschwitze rühren, mit einem Teil der Brühe aufgießen, einmal aufkochen lassen, so daß eine sämige Sauce entsteht. Saure Sahne mit den Eigelben verrühren und unter die Sauce geben. Mit Salz, frisch gemahlenem Pfeffer, Zucker, Muskatnuß und Kümmel abschmecken. Den Schinken in Streifen schneiden. Eine feuerfeste Auflaufform mit Butter einfetten und den Mangold einlegen. Die Sauce über den Mangold gießen und die Schinkenstreifen darüberstreuen. Im vorgeheizten Backofen bei 220 Grad C ca. 20 Minuten backen.

SPINATPIZZA
(für 6 Personen)

Für den Teig: 150 g Magerquark, 2 - 3 EL Milch, 5 EL kaltgepreßtes
Sonnenblumenöl, 1 Prise Zucker, 1 TL Meersalz, 1 Ei, 300 g Weizenmehl (Type 1050), 1 Päckchen Weinstein-Backpulver (Reformhaus).
Für das Blech: 1 TL Sonnenblumenöl. Für den Belag: 5 EL Tomatenmark, Hefewürze (Reformhaus), schwarzer Pfeffer, Majoran, Thymian,
Basilikum, 1 - 3 ausgepreßte Knoblauchzehen, 1 1/2 kg Spinat, Meersalz, Muskatnuß, Knoblauchpulver, 5 Tomaten, 150 g geriebener Käse

Aus dem Quark, der Milch, dem Zucker und dem Ei einen glatten Teig herstellen. Das mit Backpulver vermischte Mehl einrühren und mit

der Hand weiter verkneten. Der Teig sollte nicht mehr kleben und vor dem Auswellen ca. 1 Stunde im Kühlschrank ruhen. Ein Backblech einfetten. Den Teig auf Backblechgröße ausrollen und auf das Blech legen. Das Tomatenmark mit den angegebenen Gewürzen miteinander vermischen und den Teig damit bestreichen. Den Spinat waschen und verlesen, im kochenden Salzwasser kurz blanchieren. Abtropfen lassen und mit Salz und geriebener Muskatnuß würzen. Die Masse auf dem Teig verteilen, ebenfalls die gewaschenen, in Scheiben geschnittenen Tomaten auflegen. Nochmals mit den oben angegeben Gewürzen und dem Käse bestreuen und im vorgeheizten Backofen bei 200 - 220 Grad C ca. 30 - 40 Minuten backen.
Tip: Die Hälfte des Rezeptes reicht aus für eine Tortenform.

Abbildung Seite 37

GEFÜLLTER BLUMENKOHL MIT KÄSEHAUBE

1 Blumenkohl (750 g), Salz, 375 g gemischtes Hackfleisch, 1 Ei, 3 EL Semmelbrösel, 2 EL gehackte gemischte Kräuter, 1 TL Paprikapulver, Zwiebelpulver, Salz. Für die Form: 1 EL Pflanzenmargarine. Für die Sauce: 30 g Pflanzenmargarine, 30 g Mehl, 250 ml Milch, 2 Ecken Schmelzkäse, Salz, 4 Tomaten.

Den Blumenkohl im Salzwasser 10 Minuten vorgaren und abtropfen lassen. Inzwischen das Hackfleisch, das Ei, die Semmelbröseln, die Kräuter, das Paprikapulver, Zwiebelpulver und Salz vermischen. Den Blumenkohl von der Unterseite damit füllen. Eine flache Auflaufform ausfetten, den Blumenkohl mit den Röschen nach oben hineinlegen und im vorgeheizten Backofen bei 200 Grad C etwa 20 Minuten backen. Aus Pflanzenmargarine, Mehl, Milch und 250 ml von dem Blumenkohlwasser eine helle Grundsauce zubereiten. Den Schmelzkäse darin auflösen und die Sauce mit Salz abschmecken. Den Blumenkohl damit übergießen. Die über Kreuz eingeschnittenen Tomaten dazusetzen und weitere 20 Minuten backen.

Aufläufe – Soufflés

KARTOFFEL-MOZZARELLA-PFANNE

*1 kg Kartoffeln, 4 Knoblauchzehen, 4 EL Olivenöl,
Salz, schwarzer Pfeffer, 4 Gemüsetomaten, 400 g Mozzarella,
200 g süße Sahne, 1 Bund Basilikum*

Die Kartoffeln schälen, in dünne Scheiben schneiden und trockentupfen. Die Knoblauchzehen schälen und kleinhacken. Das Öl in einer Pfanne erhitzen, die Kartoffeln und die Knoblauchzehen darin goldbraun unter mehrmaligem Wenden anbraten. Mit Salz und frisch gemahlenem Pfeffer abschmecken. Die Tomaten kurz in kochendes Wasser tauchen, schälen, den Stielansatz herausschneiden und in Scheiben schneiden. Den Mozzarella ebenfalls in Scheiben schneiden. Die Tomaten und den Käse vorsichtig unter die Kartoffeln heben und die Sahne darüber gießen. Die Pfanne mit einem Deckel verschließen und ca. 10 Minuten garen. Das Basilikum waschen und die Blättchen abzupfen, kurz vor dem Servieren auf die Pfanne geben.

Foto zu Rezept "Jägerkohl" S. 42

JÄGERKOHL

2 kg Weißkohl, 200 g durchwachsener Räucherspeck, 3 EL Öl,
1 Gemüsezwiebel (400 g), 4 - 5 EL Zucker, 6 - 8 EL Essig-Essenz 25%,
Salz, schwarzer Pfeffer, 2 Fleischbrühwürfel, 1/2 l Wasser

Den Weißkohl putzen, waschen und kleinschneiden. Den Speck in kleine Scheiben oder Streifen schneiden, in dem Öl anbraten und aus dem Topf nehmen. Die Gemüsezwiebeln schälen, würfeln und mit dem Kohl im Speckfett andünsten, kräftig anbräunen. Mit Zucker, Essig-Essenz, Salz, frisch gemahlenem Pfeffer und den zerdrückten Fleischbrühwürfeln würzen. Das Wasser hinzugießen und alles zugedeckt 1 Stunde schmoren lassen. Nach 30 Minuten die Speckscheiben daruntermischen. Dazu schmecken Pellkartoffeln mit Petersilie. *Abbildung Seite 41*

KAROTTENSOUFFLÉ MIT PETERSILIE
(für 6 Personen)

500 g Karotten, 2 EL Butter, 250 ml Gemüsefond
(Reformhaus), 20 g Vollkornweizenmehl, 200 g Crème fraîche, Salz,
weißer Pfeffer, Koriander, 4 Eigelb, 1 Bund glatte Petersilie,
6 Eiweiß. Für die Form: 1 EL Butter

Die Karotten schälen und etwas zerkleinern. Die Butter in einem Topf erhitzen. Den Gemüsefond dazugeben und die Karotten 15 Minuten weich dünsten, das Mehl und die Crème fraîche zugeben, dann aufkochen und pürieren. Die Karotten mit Salz, frisch gemahlenem Pfeffer und gestoßenem Koriander abschmecken. Die Masse vom Herd nehmen und etwas abkühlen lassen. Die Eigelbe verquirlen und unter die Masse rühren. Die Petersilie waschen und fein hacken. Die Eiweiße zu steifem Schnee schlagen und mit der Petersilie vorsichtig unterheben.

Eine feuerfeste Souffléform oder 6 Souffléförmchen mit der Butter, bis 1 cm unter dem Rand, einfetten und die Masse einfüllen. In die Fettpfanne vom Backofen 2 cm Wasser einfüllen und den Herd auf 220 Grad C vorheizen, das Soufflé hineingeben, den Ofen auf 180 Grad C zurückschalten und 25 Minuten backen. Danach noch etwas im ausgeschalteten Backofen ruhen lassen, damit sich die Eiweiße verfestigen.
Tip: Dieses Soufflé läßt sich auch aus rote Bete zubereiten. Das Soufflé sofort servieren.

Abbildung Seite 45

CHICORÉESOUFFLÉ

500 g Chicorée, 100 g gekochten Schinken, 2 EL Butter,
50 g Mehl, 1/2 Bund Petersilie, 200 g Crème fraîche, Salz,
weißer Pfeffer, 4 Eigelb, 100 g geriebener Emmentaler,
6 Eiweiß. Für die Form: 1 EL Butter

Den Chicorée putzen, waschen und in Streifen schneiden. Die Butter in einem Topf erhitzen. Den Chicorée dazugeben, andünsten, das Mehl und die Crème fraîche zugeben, dann aufkochen lassen und pürieren. Den Schinken in feine Würfel schneiden und in einer Pfanne anbraten. Den Chicorée mit Salz und frisch gemahlenem Pfeffer abschmecken. Die Petersilie waschen, kleinhacken und mit den Schinkenwürfeln zum Chicorée geben. Die Masse vom Herd nehmen und etwas abkühlen lassen. Die Eigelbe mit dem Käse verquirlen und unter die Masse rühren. Die Eiweiße zu steifem Schnee schlagen und unter die Masse heben. Eine feuerfeste Souffléform oder Schüssel mit der Butter, bis 1 cm unter dem Rand, einfetten und die Masse einfüllen. In die Fettpfanne vom Backofen 2 cm Wasser einfüllen und den Backofen auf 220 Grad C vorheizen. Das Soufflé hineinstellen, den Ofen auf 180 Grad C zurückschalten und 25 Minuten im Wasserbad garen. Das Soufflé danach noch etwas im ausgeschalteten Backofen stehenlassen, damit sich die Eiweiße verfestigen. Das Soufflé sofort mit kurzgebratenem Fleisch und frischen Salaten servieren.

43

ZUCCHINI-AUFLAUF

1 kg Zucchini, 2 EL Mehl, 2 Zwiebeln, 3 Knoblauchzehen,
125 ml Sojaöl, 500 g Rinderhackfleisch, Salz, schwarzer Pfeffer,
1/2 Bund Oregano, 500 g Fleischtomaten, 4 EL Parmesan.
Für die Form: 1 EL Butter

Die Zucchini waschen, putzen, in dicke Scheiben schneiden und mit Mehl bestäuben. Das Öl in einer Pfanne erhitzen und die Scheiben nacheinander auf jeder Seite anbraten, herausnehmen und auf Küchenpapier abtropfen lassen. Die Zwiebeln und die Knoblauchzehen schälen, fein hacken und in dem Öl andünsten. Das Hackfleisch hinzufügen und unter Rühren anbraten. Mit Salz und frisch gemahlenem Pfeffer abschmecken. Den Oregano waschen, fein schneiden und unter das Hackfleisch geben. Die Tomaten kurz in kochendes Wasser tauchen, häuten und in Scheiben schneiden. Den Parmesan reiben. Eine feuerfeste Form mit der Butter einfetten, mit der Hälfte der Zucchini auslegen und etwas Parmesan darüber streuen. Darauf dann die Hälfte der Hackmasse schichten und den Vorgang wiederholen. Zum Schluß die Tomaten darauf legen und mit der Sahnesauce (Rezept s. Seite 66) übergießen. Im vorgeheizten Backofen bei 180 Grad C ca. 60 Minuten backen.

BROCCOLISOUFFLÉ MIT PINIENKERNEN
(für 6 Personen)

500 g Broccoli, 2 EL Butter, 250 ml Gemüsefond
(Reformhaus), 20 g Mehl, 200 g Crème fraîche, Salz, weißer Pfeffer,
4 Eigelb, 1 EL Pinienkerne, 6 Eiweiß. Für die Form: 1 EL Butter

Den Broccoli putzen, waschen und in Röschen teilen. Die Butter in einem Topf erhitzen. Den Gemüsefond dazugeben und den Broccoli

15 Minuten weich dünsten. Dann das Mehl und die Crème fraîche zugeben, aufkochen lassen und pürieren. Den Broccoli mit Salz und frisch gemahlenem Pfeffer abschmecken. Die Masse vom Herd nehmen und etwas abkühlen lassen. Die Eigelbe verquirlen und unter die Masse rühren. Die Pinienkerne grob hacken und mit den steifgeschlagenen Eiweißen unterheben. Eine feuerfeste Souffléform oder 6 Souffléförmchen mit der Butter, bis 1 cm unter dem Rand, einfetten und die Masse einfüllen. In die Fettpfanne vom Backofen 2 cm Wasser einfüllen und den Herd auf 220 Grad C vorheizen, das Soufflé hineingeben, den Ofen auf 180 Grad C zurückschalten und 25 Minuten backen. Danach noch etwas im ausgeschalteten Backofen ruhen lassen, damit sich die Eiweiße verfestigen. Das Soufflé sofort servieren. *Abbildung oben*

TOMATENSOUFFLÉ

500 g Tomaten, 100 g durchwachsener Schinkenspeck,
50 g Semmelbrösel, 200 g süße Sahne, Salz, weißer Pfeffer, Zucker,
1 Bund Basilikum, 4 Eigelb, 100 g geriebener Emmentaler, 6 Eiweiß.
Für die Form: 1 EL Butter

Die Tomaten kurz in kochendes Wasser tauchen, häuten, vierteln, entkernen und fein pürieren. Den Schinkenspeck in feine Würfel schneiden und in einer Pfanne auslassen. Das Tomatenpüree mit den Semmelbröseln und der Sahne dazugeben und aufkochen lassen. Mit Salz, frisch gemahlenem Pfeffer und Zucker abschmecken. Die Masse vom Herd nehmen und etwas abkühlen lassen. Das Basilikum waschen und kleinschneiden. Die Eigelbe mit dem Käse verquirlen und das Basilikum dazugeben. Alles unter die Masse rühren. Die Eiweiße zu steifem Schnee schlagen und unter die Tomatenmasse heben. Eine feuerfeste Souffléform oder Schüssel mit der Butter, bis 1 cm unter dem Rand, einfetten und die Masse hineingeben. In die Fettpfanne 2 cm Wasser einfüllen und den Backofen auf 220 Grad C vorheizen. Die Masse einfüllen und das Soufflé hineinstellen, den Ofen auf 180 Grad C zurückschalten und 25 Minuten im Wasserbad garen. Das Soufflé noch etwas im ausgeschalteten Backofen stehenlassen, damit sich die Eiweiße verfestigen.

BLUMENKOHLSOUFFLÉ

500 g Blumenkohl, 2 EL Butter, 250 ml Gemüsefond,
20 g Mehl, 200 g Crème fraîche, Salz, weißer Pfeffer, 4 Eigelb,
100 g geriebener Gouda, 6 Eiweiß. Für die Form: 1 EL Butter

Den Blumenkohl putzen, waschen und in Röschen teilen. Die Butter in einem Topf erhitzen. Den Gemüsefond dazugeben und den Blumenkohl dann 15 Minuten weich dünsten, das Mehl und Crème fraîche hinzugeben, dann aufkochen und pürieren. Den Blumenkohl mit Salz und frisch gemahlenem Pfeffer abschmecken. Die Masse vom Herd nehmen und etwas abkühlen lassen. Die Eigelbe mit dem Käse verquirlen und unter die Masse rühren. Die Eiweiße zu steifem Schnee schlagen und ebenfalls unterheben. Eine feuerfeste Souffléform oder 6 Souffléförmchen mit der Butter bis 1 cm unter dem Rand einfetten und die Masse einfüllen. In die Fettpfanne vom Backofen 2 cm Wasser einfüllen und den Herd auf 220 Grad C vorheizen, das Soufflé hineingeben, den Ofen auf 180 Grad C zurückschalten und 25 Minuten backen. Danach noch etwas im ausgeschalteten Backofen ruhen lassen, damit sich die Eiweiße verfestigen. Das Soufflé als Vorspeise servieren.

FRÜHLINGS- ZWIEBELAUFLAUF

1 kg Kartoffeln, 2 Bund Frühlingszwiebeln, 2 Knoblauchzehen, Salz, weißer Pfeffer, geriebene Muskatnuß oder Kümmel, 1 Bund Petersilie, 4 EL Butter, 200 g Gouda, 3 Eier, 400 g Crème fraîche

Die Kartoffeln schälen und in dünne Scheiben schneiden, waschen und trockentupfen. Die Frühlingszwiebeln putzen, waschen und in feine Ringe schneiden. Die Knoblauchzehen schälen und fein würfeln. Die Kartoffelscheiben in eine Schüssel geben, mit den Frühlingszwiebeln und Knoblauchwürfeln mischen. Mit Salz, frisch gemahlenem Pfeffer und Muskatnuß würzen. Die Petersilie waschen, kleinschneiden und unter die Kartoffelscheiben mischen. Den Käse reiben. Eine Auflaufform mit 1 Eßlöffel von der Butter einfetten und die erste Lage Kartoffeln einfüllen, dann einen Teil des Käses darüber streuen und so fortfahren bis die Form gefüllt ist. Den Abschluß bildet eine Lage Käse. Die Eier mit der Sahne verrühren und über den Auflauf gießen. Die restliche Butter als Flöckchen auf dem Auflauf verteilen. Im vorgeheizten Backofen bei 220 Grad C ca. 30 - 40 Minuten backen.

Den Auflauf mit einer großen Schüssel buntem Salat als Hauptgericht oder als Beilage zu Fleischgerichten servieren.

BROCCOLI-SOJASPROSSEN-AUFLAUF MIT ROQUEFORT

(für 3 - 4 Personen)

*700 g Broccoli, 250 g Sojasprossenkeime, 1 Zwiebel, 1 EL Öl,
Salz, schwarzer Pfeffer. Für die Form: 1 EL Butter. Außerdem: 2 Eier,
100 g süße Sahne, 100 g Roquefort*

Den Broccoli waschen, putzen und gut abtropfen lassen. Harte Stielenden abschneiden. Große Teile etwas zerkleinern. Die Sprossenkeime mehrmals mit kaltem Wasser gründlich waschen, abtropfen lassen und verlesen. Die Zwiebel schälen, würfeln und in einem Topf in Öl andünsten. Den Broccoli hinzufügen und ca. 8 Minuten bei geschlossenem Topf dünsten lassen. Leicht mit Salz und frisch gemahlenem Pfeffer würzen. Den Broccoli und die Sojasprossen in die Auflaufform geben. Die Eier mit der Sahne verrühren und darüber gießen. Den Roquefort in ca. 1/2 cm dicke Scheiben schneiden und auf dem Gemüse verteilen. Im vorgeheizten Backofen bei 250 Grad C 15 Minuten überbacken.

BLUMENKOHL MIT SCHINKEN-KÄSE-SAUCE

*1 großer Blumenkohl (2 kg), 2 l Wasser, Salz, 2 EL Butter,
2 EL Mehl, Salz, weißer Pfeffer, 1 Prise Muskatnuß, 1 Becher
Sahne-Dickmilch (175 g), 200 g gekochter Schinken, 50 g geriebener
Emmentaler. Zum Garnieren: 1/2 BundPetersilie*

Den Blumenkohl kräftig abbrausen, die Blätter entfernen und den Strunk abschneiden, dann kreuzweise einschneiden. In reichlich ko-

chendes Salzwasser geben und nicht zu weich kochen. Dann herausnehmen und abtropfen lassen. 1/4 l Blumenkohlbrühe für die Sauce beiseite stellen. Die Butter erhitzen, das Mehl darin kurz anschwitzen und mit der Brühe ablöschen. Unter Rühren ca. 10 Minuten leicht kochen lassen, bis die Sauce glatt und dicklich ist. Mit Salz, dem frisch gemahlenen Pfeffer und den Gewürzen abschmecken. Zum Schluß die Dickmilch dazurühren. Den Schinken fein würfeln und untermischen. Den Topf vom Herd nehmen, den Käse einstreuen und unter Rühren schmelzen lassen. Den Blumenkohl im Ganzen in einen feuerfesten Topf setzen, die Sauce darüber verteilen und das Ganze im vorgeheizten Backofen bei 200 Grad C leicht überbacken. Die Petersilie waschen, trockentupfen und fein schneiden.

Den Blumenkohl vor dem Servieren mit der Petersilie bestreuen.

Abbildung oben

AVOCADOSOUFFLÉ MIT ZITRONE
(für 6 Personen)

3 reife Avocados, Saft von 1 Zitrone, 20 g Sojamehl
(Reformhaus), 200 g Crème fraîche, Salz, weißer Pfeffer, 4 Eigelb,
6 Eiweiß. Für die Form: 1 EL Butter

Die Avocados schälen, halbieren, den Kern entfernen und das Fruchtfleisch pürieren. Den Zitronensaft, das Sojamehl, die Crème fraîche, Salz, frisch gemahlenen Pfeffer und die Eigelbe dazurühren. Die Eiweiße zu steifem Schnee schlagen und ebenfalls unterheben. Eine feuerfeste Souffléform oder 6 Souffléförmchen mit der Butter, bis 1 cm unter dem Rand, einfetten und die Masse einfüllen. In die Fettpfanne vom Backofen 2 cm Wasser einfüllen und den Herd auf 220 Grad C vorheizen, das Soufflé hineingeben, den Ofen auf 180 Grad C zurückschalten und 25 Minuten backen. Danach noch etwas im ausgeschalteten Backofen ruhen lassen, damit sich die Eiweiße verfestigen. Das Soufflé sofort servieren.

Abbildung Seite 45

SPINATGRATIN MIT HÄHNCHEN

500 g Hähnchenbrustfilet, Salz, weißer Pfeffer, 500 g Spinat,
1 Zwiebel, 2 Knoblauchzehen, 3 EL Butter, 200 g Crème fraîche,
3 EL Curry-Paste oder Currypulver, Salz.
Für die Form: 1 EL Butter

Das Hähnchenbrustfilet waschen, trockentupfen und in Streifen schneiden. Mit Salz und frisch gemahlenem Pfeffer bestreuen. Den Spinat verlesen, waschen und abtropfen lassen. Die Zwiebel und die

Knoblauchzehen schälen und fein hacken. Die Butter in einer Pfanne erhitzen, den Spinat, die Zwiebeln und den Knoblauch darin andünsten. Die Crème fraîche, Curry-Paste und Salz miteinander vermischen. Eine feuerfeste Form mit Butter einfetten, den Spinat mit den Zwiebeln und dem Knoblauch einfüllen, die Hähnchenstreifen darauf legen und mit der Crème-fraîche-Curry-Mischung begießen. Im vorgeheizten Backofen bei 200 Grad C 35 Minuten garen und mit Reis servieren.

SPINATSOUFFLÉ MIT SCHINKEN

500 g Blattspinat, 2 l Wasser, Salz, 100 g durchwachsener Schinkenspeck, 50 g Semmelbrösel, 200 g süße Sahne, weißer Pfeffer, Zucker, gemahlene Muskatnuß, 4 Eigelb, 100 g geriebener Emmentaler, 6 Eiweiß. Für die Form: 1 EL Butter

Den Spinat verlesen, waschen und in kochendem Salzwasser 1 Minute blanchieren, kalt abschrecken, abtropfen lassen und fein pürieren. Den Schinkenspeck in kleine Würfel schneiden und in einem Topf auslassen. Den Spinat mit den Semmelbröseln und der Sahne dazugeben und aufkochen lassen. Mit frisch gemahlenem Pfeffer, Zucker und einer Prise Muskatnuß abschmecken. Die Masse vom Herd nehmen und etwas abkühlen lassen. Die Eigelbe mit dem Käse verquirlen und unter die Masse rühren. Die Eiweiße zu steifem Schnee schlagen und unter die Spinatmasse heben. Eine feuerfeste Souffléform oder Schüssel mit der Butter, bis 1 cm unter dem Rand, einfetten und die Masse einfüllen. In die Fettpfanne vom Backofen 2 cm Wasser einfüllen und den Backofen auf 220 Grad C vorheizen. Das Soufflé hineinstellen, den Ofen auf 180 Grad C zurückschalten und 25 Minuten im Wasserbad garen. Den Auflauf danach noch etwas im ausgeschalteten Backofen stehenlassen, damit sich die Eiweiße verfestigen.
Das Soufflé sofort mit kurzgebratenem Fleisch servieren.

GRATINIERTER RAHMKOHLRABI

1 kg Kohlrabi, 1/2 l Fleischbrühe. Für die Sauce:
2 EL Butter, 2 EL Mehl, 250 g saure Sahne, 2 Eigelb, Salz,
weißer Pfeffer, 1 Prise Zucker, geriebene Muskatnuß. Für die Form:
1 EL Butter. Außerdem: 150 g gekochter Schinken.
Zum Garnieren: 1 Bund Petersilie

Die Kohlrabi schälen und in Scheiben schneiden. Die Fleischbrühe in einen Topf geben und zum Kochen bringen. Die Kohlrabischeiben 15 Minuten garen, herausheben und abtropfen lassen. Die Butter in einem Topf erhitzen, das Mehl hineingeben und eine helle Mehlschwitze rühren, mit einem Teil der Kohlrabibrühe aufgießen, einmal aufkochen lassen, so daß eine sämige Sauce entsteht. Die saure Sahne mit den Eigelben verrühren und unter die Sauce geben. Mit Salz, frisch gemahlenem Pfeffer, Zucker und Muskatnuß abschmecken. Den Schinken in Streifen schneiden. Eine feuerfeste Auflaufform mit Butter einfetten und die Kohlrabischeiben hineinlegen. Die Ei-Sahne-Sauce über die Kohlrabi gießen und die Schinkenstreifen darüber streuen. Im vorgeheizten Backofen bei 220 Grad C ca. 20 Minuten gratinieren. Die Petersilie waschen, fein schneiden und das Kohlrabi-Gratin vor dem Servieren damit bestreuen. Das Gemüse als Hauptgericht oder Beilage servieren.

Foto zu Rezept "Rosenkohl-Ragout" S. 55

Eintöpfe

MANGOLD-EINTOPF

1 Hühnchen (1,2 kg), 100 g durchwachsener Speck,
2 EL Öl, 3 Knoblauchzehen, 500 g Mangold, 2 gelbe Paprikaschoten,
1 große Dose Tomaten (800 g), Salz, schwarzer Pfeffer, Cayennepfeffer,
2 EL Essig-Essenz 25%, Zucker nach Geschmack,
4 EL trocknener Weißwein

Das Hühnchen waschen, trockentupfen und in acht Stücke zerteilen. Den Speck würfeln und in einem großen Topf auslassen. Die Hühnerteile und das Öl zugeben, dann von allen Seiten anbraten. Die Knoblauchzehen schälen, durch die Presse drücken und dazugeben. Den Mangold waschen und in 3 - 4 cm große Stücke schneiden. Die Paprikaschoten putzen, halbieren, entkernen, waschen und in Stücke teilen. Mangold und Paprikaschoten hinzufügen und drei Minuten mitdünsten. Die Tomatendose öffnen, die Tomaten herausnehmen und mit dem Saft das Gemüse aufgießen. Mit Salz, frisch gemahlenem Pfeffer, Cayennepfeffer, Essig-Essenz und Zucker scharfsauer abschmecken. Zum Schluß die Tomaten zugeben und mit einem Schuß Weißwein abschmecken. Dazu schmeckt knuspriges Bauernbrot.

ROSENKOHL-RAGOUT

100 g geräucherter durchwachsener Speck,
1 Zwiebel, 250 ml Wasser, 1 Würfel Klare Suppe mit Suppengrün,
500 g Kartoffeln, 500 g Rosenkohl, 100 g saure Sahne,
2 EL gehackte Kräuter

Den Speck würfeln und in einem Topf auslassen. Die Zwiebel schälen und in Würfel schneiden. Die Zwiebelwürfel zum Speck geben und anbraten. Mit dem Wasser aufgießen und den Würfel klare Suppe darin auflösen. Die Kartoffeln schälen und in große Würfel schneiden. Den Rosenkohl putzen, waschen und mit den Kartoffeln in den Topf geben, alles ca. 25 Minuten kochen. Die saure Sahne mit den Kräutern verrühren und auf dem Rosenkohl-Ragout anrichten. *Abbildung Seite 53*

PFEFFERTOPF

250 g rote Kidney-Bohnen, 1 Zwiebel, 1 l Wasser,
500 g Schweinenacken, 2 Zwiebeln, 1 rote und 1 grüne Paprikaschote,
2 EL Butterschmalz, 2 EL Mehl, 1/2 l Fleischbrühe, 1 Flasche
Chilisauce, 1 Bund Petersilie, Salz, Cayennepfeffer

Die Bohnen waschen und mit der geschälten, geviertelten Zwiebel in dem Wasser ca. 60 Minuten kochen, dann abgießen und beiseite stellen. Das Fleisch waschen und in feine Streifen schneiden. Die Zwiebeln schälen und in Würfel schneiden. Die Paprikaschote putzen, waschen, entkernen und in Würfel schneiden. Das Schmalz in einem Topf zerlassen, das Fleisch, die Zwiebeln und die Paprikaschoten dazugeben und 10 Minuten dünsten lassen. Die Bohnen hinzufügen, mit Mehl bestäuben und mit der Fleischbrühe aufgießen, nochmals aufkochen lassen. Die Chilisauce zugeben und durchrühren. Die Petersilie waschen, kleinschneiden und unterrühren. Mit Salz und Cayennepfeffer abschmecken.

SÜSS-SAURER SPARGELTOPF

*1 kg Spargel, 1 1/2 l Wasser, 1 TL Salz, 1 EL Zitronensaft,
1 EL Zucker, 1 EL Butter. Für die Sauce: 40 g Butter, 40 g Mehl,
1/2 l Spargelsud, 1/2 TL Zucker, Salz, 1 EL Essig-Essenz 25%,
1 Eigelb, 125 g Sahne*

Den geschälten Spargel in Salzwasser mit Zitronensaft, Zucker und Butter 30 Minuten gar kochen. Herausnehmen und warm stellen. Den Sud für die Sauce beiseite stellen. Für die Sauce aus Butter und Mehl eine Schwitze rühren. Mit einem Teil Spargelsud aufgießen und unter Rühren 5 Minuten kochen lassen.

Mit Zucker, Salz und Essig-Essenz süßsauer abschmecken. Das Eigelb mit der Sahne verquirlen und unter die nicht mehr kochende Sauce rühren. Die Sauce über den warmen Spargel gießen. Nach Belieben den Spargel mit Fleischklößchen (Rezept s. Seite 58) und Petersilienkartoffeln servieren. *Abbildung rechts*

BUNTES PAPRIKAGEMÜSE

*500 g gelbe, grüne und rote Paprikaschoten,
40 g Butter, 1 Zwiebel, 5 EL Fleischbrühe, Salz, schwarzer Pfeffer*

Die Paprikaschoten putzen, halbieren, Kerne entfernen und waschen. Abtropfen lassen und in Streifen schneiden. Die Zwiebel schälen und würfeln. Die Butter in einem Topf zerlassen und die Paprikastreifen und Zwiebelwürfel darin 5 Minuten andünsten. Die Fleischbrühe dazu-

geben und mit Salz und frisch gemahlenem Pfeffer abschmecken, nochmals 10 Minuten garen. Das Paprikagemüse auf einer Platte verteilen, die Grünkernklöße (Rezept s.Seite 60) darauf setzen und die Sauce separat dazu reichen. Das Gemüse heiß servieren.

KOHLEINTOPF MIT KLÖSSCHEN

(für 8 Personen)

500 g Weißkohl, 500 g Schweinefleisch, 500 g kleine feste Birnen, 1 EL Zucker, 2 EL Essig. Für die Klößchen: 750 g Kartoffeln, 1 Brötchen, 1 EL Butter, 1 EL Mehl, Salz, schwarzer Pfeffer, 1 Ei

Den Weißkohl putzen, vierteln und den Strunk herausschneiden. Das Fleisch waschen, trockentupfen und in Würfel schneiden. Die Birnen schälen, entkernen und vierteln. Den Weißkohl und das Fleisch 30 Minuten nicht zu weich kochen. Mit Zucker und Essig kräftig abschmecken. Die Kartoffeln schälen, kleinschneiden und die Hälfte im Salzwasser 15 Minuten kochen. Die Birnen dazugeben und weitere 10 Minuten kochen. Die Birnen herausfischen und beiseite stellen. Für die Klößchen die gekochten und die rohen Kartoffeln in einen Mixer geben und pürieren. Das Weißbrot in Würfel schneiden und in der Butter anrösten. Das

Weißbrot zu den Kartoffeln geben, mit dem Mehl, Salz und frisch gemahlenem Pfeffer abschmecken. Das Ei dazugeben und gut durchkneten. Mit einem Eßlöffel Klöße abstechen und in kochendem Salzwasser 10 Minuten gar ziehen lassen. Die Klößchen auf dem Kohleintopf mit den Birnen anrichten und heiß servieren.

FLEISCHKLÖSSCHEN

*1 Bund Petersilie, 1 Bund Schnittlauch,
1 Bund Dill, 1 Bund Estragon, 350 g gemischtes Hackfleisch, 1 Ei,
2 EL Semmelbrösel, 1 TL Senf, Salz, schwarzer Pfeffer.*

Die Kräuter waschen, trockentupfen und fein schneiden. Für die Fleischklößchen das Hackfleisch in eine Schüssel geben, mit dem Ei, den Semmelbröseln, den Kräutern, Senf, Salz und frisch gemahlenem Pfeffer mischen, einen Hackteig herstellen. Kleine Klößchen formen und in leicht kochendem Wasser 8 Minuten gar ziehen lassen. Die Klößchen schmecken auch zum süßsauren Spargeltopf (Rezept s. Seite 56).

Abbildung Seite 57

GROSSMUTTERS GEMÜSETOPF

*1 Suppenhuhn, 1 1/2 l Wasser, 1 Bund Suppengrün, Salz,
200 g Karotten, 200 g Kohlrabi, 200 g Brechbohnen, 200 g Lauch,
200 g Sellerieknolle, 2 Tomaten, Salz, weißer Pfeffer.
Zum Garnieren: 1 Bund Petersilie*

Das Suppenhuhn waschen und trockentupfen. Das Wasser mit Salz und dem Suppenhuhn zum Kochen bringen. Im geschlossenen Topf 90 Minuten kochen. In der Zwischenzeit das Suppengrün putzen, waschen und nach der Hälfte der Garzeit zugeben. Die Karotten und die Kohlrabi schälen, dann in Scheiben schneiden. Die Bohnen waschen, putzen und brechen. Den Lauch putzen, waschen und in Ringe schneiden. Den Sellerie schälen und würfeln. 20 Minuten vor Ende der Garzeit das Gemüse dazugeben und mitgaren. Die Tomaten kurz in kochendes Wasser tauchen, häuten, vierteln, entkernen, in grobe Stücke schneiden und 5 Minuten vor Ende der Garzeit in den Topf geben. Mit frisch gemahlenem Pfeffer abschmecken. Petersilie waschen und kleinschneiden. Die Suppe mit der Petersilie bestreuen und heiß servieren.

FEINER EINTOPF

15 g getrocknete Spitzmorcheln, 500 g Blumenkohl,
Salz, 1 Prise Zucker, 1 TL Zitronensaft, 250 g junge Karotten,
150 g tiefgekühlte Erbsen, 30 g Butter, 4 EL Wasser, 30 g Krebsbutter
aus der Dose, 30 g Mehl, 1/2 l Kalbsfond, Salz, 125 g süße Sahne.
Zum Garnieren: 1 Handvoll Kerbel

Die Spitzmorcheln gründlich waschen und in reichlich lauwarmen Wasser einweichen. Den Blumenkohl putzen, in Röschen aufteilen und waschen. Die Röschen in Salzwasser, Zucker und Zitronensaft 15 Minuten garen. Die Karotten schälen und in Scheiben schneiden, die Erbsen auftauen lassen und in 2 Eßlöffel Butter mit 4 Eßlöffel Wasser 10 Minuten dünsten. Die Krebsbutter schmelzen und das Mehl darin anschwitzen. Mit dem Kalbsfond aufgießen und 15 Minuten leise kochen lassen, mit Salz abschmecken. Die nochmals gewaschenen Morcheln naß in 10 g Butter 5 Minuten leicht dünsten, dann alle Zutaten mischen und zum Schluß die Sahne unterziehen. Den Kerbel waschen, hacken und über den Eintopf streuen, heiß servieren.

KICHERERBSEN MIT SPECK

400 g Kichererbsen, 2 l Wasser, 2 Zwiebeln,
1 Bund Suppengrün, 2 Kartoffeln, 350 g durchwachsener Speck,
1 EL Butter, 1 l Rinderbrühe, etwas Majoran, 1/2 EL Essig,
Salz, schwarzer Pfeffer

Die Kichererbsen über Nacht in dem Wasser einweichen, dann abgießen und beiseite stellen. Die Zwiebeln schälen und klein würfeln. Das Suppengrün putzen, waschen und kleinschneiden. Die Kartoffeln schälen und würfeln. Den Speck in kleine Würfel schneiden. Die Butter in den Schnellkochtopf geben und zerlaufen lassen, die Zwiebeln, das Suppengrün und den Speck dazugeben, dann andünsten. Die Kichererbsen, Kartoffeln und den Majoran hinzufügen, mit der Rinderbrühe aufgießen, den Topf verschließen und 15 Minuten kochen lassen. Mit Essig, Salz und frisch gemahlenem Pfeffer abschmecken.

GRÜNKERNKLÖSSE SÜSS-SAUER

250 g Grünkernschrot, 20 g Butter,
1 TL Salz, 1 Zwiebel, 1 Knoblauchzehe, 1 Bund Petersilie,
2 Eier, 2 Vollkornzwieback, 1/2 rote Paprikaschote, 30 g Butter,
30 g Mehl, 125 ml Wasser, 250 ml Fleischbrühe, 125 g Sahne,
30 g Kapern, 8 grüne Pfefferkörner, 2 - 3 TL Essig-
Essenz 25%, Zucker

Den Grünkernschrot mit Butter und Salz in 3/4 l kochendes Wasser geben, aufkochen und ca. 30 Minuten bei geringer Hitze quellen lassen.

Foto zu Rezept "Skandinavischer Gemüsetopf" S. 64

Die Zwiebel und die Knoblauchzehe schälen und klein würfeln. Die Petersilie waschen und hacken. Den Schrot gut ausdrücken und mit Zwiebeln, Knoblauch, Petersilie und Eiern vermischen. Die Zwiebäcke reiben. Die Paprikaschote waschen, entkernen und in Würfel schneiden. Beides zugeben und den Teig durcharbeiten. Mit angefeuchteten Händen 16 Klöße formen und im kochenden Salzwasser bei geringer Hitze 10 Minuten ziehen lassen. In der Zwischenzeit die Butter in einem Topf erhitzen, das Mehl dazugeben und eine helle Mehlschwitze zubereiten. Mit Wasser, Fleischbrühe und Sahne aufgießen und aufkochen lassen. Die Kapern und die Pfefferkörner einrühren. Mit der Essig-Essenz und dem Zucker süßsauer abschmecken. Auf buntem Paprikagemüse (Rezept s. Seite 56) servieren; die Sauce getrennt dazu reichen.

KÜRBISTOPF

---

500 g Kartoffeln, 500 g Kürbis, 125 g durchwachsener Speck, 2 Zwiebeln, 2 Stangen Lauch, 1/2 l Fleischbrühe, Salz, schwarzer Pfeffer, 1 EL Essig-Essenz 25 %, 1 EL Crème fraîche, 1 TL Zucker, 4 Wiener Würstchen

---

Die Kartoffeln und den Kürbis schälen, beides in kleine Würfel schneiden. Den Speck würfeln, die Zwiebeln schälen und ebenfalls würfeln. Die Speck- und die Zwiebelwürfel in einem Topf glasig dünsten. Den Lauch putzen, in Ringe schneiden, waschen und abtropfen lassen. Einige feine Ringe für die Dekoration zurücklegen. Die Kartoffeln, den Kürbis und den Lauch zu den Zwiebeln geben, mitdünsten. Mit der Fleischbrühe aufgießen und 25 Minuten garen lassen. Eine Schaumkelle voll Gemüse aus der Suppe nehmen und beiseite stellen. Die restliche Suppe pürieren oder durch ein Sieb streichen, dann mit Salz, frisch gemahlenem Pfeffer, Essig-Essenz, Crème fraîche und Zucker süßsauer abschmecken. Die Wiener in Scheiben schneiden. Zum Schluß das zurückbehaltene Gemüse, die Lauchstreifen und die Wurstscheiben dazugeben, nochmals kurz erwärmen und heiß servieren.

Internationale Gerichte

AMERIKANISCHER MAIS-AUFLAUF

200 g Champignons, 125 g durchwachsener Speck,
2 Scheiben Toastbrot, 2 EL Sojaöl, 200 g Tiefseekrabben, 1 Dose
Maiskörner. Für die Sauce: 2 EL Butter, 1 EL Mehl, 125 ml Milch,
Salz, weißer Pfeffer, 1/2 TL Senf. Außerdem: 50 g mittelalter Gouda.
Für die Form: 1 EL Butter. Zum Garnieren: 1 Bund Petersilie

Die Champignons putzen, wenn nötig, waschen und blättrig aufschneiden. Den Speck würfeln und in einer Pfanne knusprig braun anbraten, herausnehmen und beiseite stellen. Die Champignons im heißen Speckfett ca. 5 Minuten dünsten. Das Toastbrot in Würfel schneiden. Das Öl in einer Pfanne erhitzen und die Brotwürfel darin goldbraun rösten. Die Speckwürfel mit den Champignons, Toastbrotwürfel und den Tiefseekrabben mischen. Die abgetropften Maiskörner hinzufügen und unterheben. Eine feuerfeste Form mit der Butter einfetten und die Masse hineingeben. Für die Sauce die Butter mit dem Mehl in einen Topf geben und unter Rühren anschwitzen. Mit der Milch aufgießen und unter Rühren aufkochen lassen. Die Sauce mit Salz, frisch gemahlenem Pfeffer und Senf pikant abschmecken, dann über den Auflauf gießen. Den Gouda reiben und darüber streuen. Den Auflauf im vorgeheizten Backofen bei 200 Grad C ca. 20 Minuten backen. Die Petersilie waschen, kleinhacken und über den fertigen Auflauf streuen.

SKANDINAVISCHER GEMÜSETOPF

1 l Wasser, 2 Würfel klare Suppe, 4 Karotten, 1 kleiner Blumenkohl (500 g), 1 Packung tiefgefrorene Erbsen (300 g), 1 Packung tiefgefrorene Brechbohnen (300 g), 4 EL Klassische Mehlschwitze, hell, (Fertigprodukt), 1 Eigelb, 200 g süße Sahne, 100 g Krabbenfleisch, 1 Bund Dill, Salz, schwarzer Pfeffer

Wasser aufkochen und die Suppenwürfel dazugeben. Karotten schälen und in Würfel schneiden. Blumenkohl putzen und in Röschen teilen. Karotten, Blumenkohl, Erbsen und Brechbohnen in die heiße Suppe geben und 10 Minuten garen. Die Mehlschwitze einstreuen und 1 Minute kochen lassen. Das Eigelb und die Sahne verrühren, und zur Suppe geben. Das Krabbenfleisch zugeben und erwärmen. Den Gemüseeintopf mit gewaschenem und gehacktem Dill, Salz und frisch gemahlenem Pfeffer abschmecken.

Abbildung Seite 61

SERBISCHER BOHNENTOPF

600 g weiße Bohnen, 3 l Wasser, 100 g durchwachsener Speck, 3 Knoblauchzehen, 500 g Zwiebeln, 500 g Tomaten, 1 l Rinderbrühe, Salz, 1/2 TL getrockneter Thymian, 1/2 TL getrockneter Oregano

Die Bohnen über Nacht im Wasser einweichen, dann abgießen und beiseite stellen. Speck würfeln. Knoblauchzehen schälen und kleinhacken. Die Speckwürfel in einen Schnellkochtopf geben und anbraten. Den Knoblauch hinzufügen und glasig dünsten. Die Bohnen mit der Brühe dazugeben, mit Salz und Thymian würzen, dann im geschlossenen Topf 10 Minuten garen. In der Zwischenzeit die Zwiebeln schälen und vierteln. Die Tomaten in kochendes Wasser tauchen, häuten, vierteln, entkernen und in grobe Stücke teilen. Den Oregano mit den Zwiebeln und den Tomaten dazugeben und im geschlossenen Topf noch weitere 2 Minuten garen. Im normalen Topf beträgt die Garzeit ca. 60 Minuten.

ORIENTALISCHER
OKRA-AUFLAUF

*500 g Kalbfleisch, 2 Zwiebeln, 2 Knoblauchzehen,
500 g Okraschoten, 250 ml Kalbsfond, 500 g Fleischtomaten,
5 EL Sojaöl, 1 EL Tomatenmark, Salz, weißer Pfeffer. Für die Form:
1 EL Butter. Außerdem: 100 g Schafskäse, 2 Eier,
250 g süße Sahne*

Das Fleisch waschen, trockentupfen und in feine Streifen schneiden. Die Zwiebeln und die Knoblauchzehen schälen und würfeln bzw. durch die Presse drücken. Die Okraschoten putzen und waschen. Die Tomaten kurz in kochendes Wasser tauchen, häuten, vierteln, entkernen und in grobe Stücke teilen. Das Öl in einer Pfanne erhitzen, Zwiebeln, Knoblauch und das Fleisch anbraten und die Okras dazugeben. Mit dem Kalbsfond aufgießen und alles 10 Minuten dünsten. Die Tomaten mit dem Mark zufügen, mit Salz und frisch gemahlenem Pfeffer abschmecken. Eine feuerfeste Form mit Butter einfetten, das Fleisch mit dem Gemüse einfüllen und den Schafskäse darüber streuen. Die Eier mit der Sahne verquirlen und über den Auflauf gießen. Im vorgeheizten Backofen bei 180 Grad C 30 Minuten garen.

Abbildung oben

SAHNESAUCE

40 g Butter, 40 g Mehl, 250 g süße Sahne, 3 Eier, Salz, weißer Pfeffer

Die Butter in einen Topf geben, zerlaufen lassen, das Mehl dazugeben und unter Rühren eine helle Mehlschwitze kochen. Wenn die Schwitze kraus aussieht, die Sahne langsam unter Rühren einlaufen lassen, dann den Topf vom Herd nehmen. Die Eier verquirlen, unter die Sauce rühren, mit Salz und frisch gemahlenem Pfeffer abschmecken. Die Sauce darf nun nicht mehr kochen, da sie sonst gerinnt.

MINESTRONE ITALIENISCHE ART
(für 8 Personen)

*2 Staudensellerie, 250 g Karotten, 250 g Kartoffeln,
250 g Zucchini, 2 Bund Frühlingszwiebeln, 1/2 Kopf Weißkohl,
250 g frische weiße Bohnen, 250 g Erbsenschoten, 250 g grüne
Bohnen, 1 kleinen Blumenkohl, 1 Fenchelknolle, 250 g Fleischtomaten,
3 Knoblauchzehen, 250 g durchwachsener Speck, 125 ml Olivenöl,
1 Bund Petersilie, 1/2 Bund Oregano, 1 Zweig Liebstöckel,
2 Salbeizweige, 2 l Rinderbrühe, 200 g Hörnchennudeln,
Salz, weißer Pfeffer, 100 g geriebener Parmesan*

Das Gemüse putzen, waschen, abtropfen lassen und in Ringe, Scheiben oder Streifen schneiden. Die Tomaten kurz in kochendes Wasser tauchen, häuten, vierteln und entkernen. Die Knoblauchzehen und die Zwiebeln schälen, den Knoblauch durch die Presse drücken, die Zwiebeln würfeln. Den Speck in Streifen schneiden und in einer Pfanne auslassen. Das Öl in einem Topf erhitzen, die Knoblauchzehen und Zwiebeln darin andünsten. Die Kräuter waschen, die Petersilie, Oregano und Liebstöckel kleinhacken, die Salbeiblätter von den Stielen pflükken. Das Gemüse, außer den Tomaten, grünen Bohnen und den

Erbsenschoten, in den Topf geben und andünsten. Mit dem Fond aufgießen und die Kräuter zugeben. Zugedeckt 20 Minuten leicht kochen lassen, dann erst den Rest des Gemüses und die Nudeln zugeben,

nochmals 10 Minuten garen. Mit Salz und frisch gemahlenem Pfeffer abschmecken. Die heiße Minestrone in eine Suppenterrine füllen.
Nach Belieben mit Parmesan bestreuen und mit Brot servieren.

GRIECHISCHES MOUSSAKA

(für 6 Personen)

1,5 kg Auberginen, Salz, 125 ml Öl, 4 EL Mehl, 2 Zwiebeln, 4 Knoblauchzehen, 500 g Lammhackfleisch, Salz, schwarzer Pfeffer, 1/2 Bund Oregano, 500 g Fleischtomaten, 4 EL Emmentaler. Für die Form: 1 EL Butter

---

Die Auberginen waschen, putzen und in dicke Scheiben schneiden. Auf Küchenpapier legen und kräftig mit Salz bestreuen, ca. 30 Minuten ziehen lassen. Dann abspülen, trockentupfen und mit Mehl bestäuben. Das Öl in einer Pfanne erhitzen und die Scheiben nacheinander auf jeder Seite anbraten, herausnehmen und auf Küchenpapier abtropfen lassen. Die Zwiebeln und die Knoblauchzehen schälen, fein hacken und in dem Öl andünsten. Das Lammhack hinzufügen und unter Rühren anbraten. Mit Salz und frisch gemahlenem Pfeffer abschmecken. Den Oregano waschen, fein schneiden und unter das Lammhack geben. Die Tomaten kurz in kochendes Wasser tauchen, häuten und in Scheiben schneiden. Den Emmentaler reiben. Eine feuerfeste Form mit der Butter einfetten, mit der Hälfte der Auberginen auslegen und etwas vom Emmentaler darüber streuen. Darauf dann die Hälfte der Hackmasse schichten und den Vorgang wiederholen. Zum Schluß die Tomaten darauf legen und mit der Sahnesauce (Rezept s. Seite 66) übergießen. Im vorgeheizten Backofen bei 180 Grad C ca. 60 Minuten backen.

RATATOUILLE MIT FLEISCHRÖLLCHEN

1 Brötchen, 500 g gemischtes Hackfleisch, 1 Ei, Salz,
schwarzer Pfeffer, 1 Prise Muskat, 100 g Speck, 300 g Zwiebeln,
4 Knoblauchzehen, je 1 grüne und rote Paprikaschote, 375 g Zucchini,
300 g kleine Tomaten, 125 ml Fleischbrühe, 125 ml Rotwein,
1 EL Essig-Essenz 25 %, 1 TL Zucker, 1 EL Kräuter der Provence,
1 TL gemahlene Korianderkörner, 4 EL Crème fraîche

Das Brötchen in Wasser einweichen, dann ausdrücken. Aus Hackfleisch, Brötchen, Ei, Salz, frisch gemahlenem Pfeffer und Muskatnuß einen Fleischteig herstellen. Den Speck würfeln und in einer Pfanne auslassen. Zwiebeln und Knoblauchzehen schälen und würfeln. Einen Teil der Zwiebeln und die Speckwürfel unter den Fleischteig mischen, dann kleine, ca. 6 cm lange Fleischröllchen formen und im Speckfett braten. Die Fleischröllchen beiseite stellen. Die Paprikaschoten putzen, waschen, halbieren, entkernen und in Stücke schneiden. Zucchini und Tomaten waschen, kleinschneiden. Zwiebeln, Knoblauch, Paprikaschoten, Zucchini und Tomaten in dem Bratenfett andünsten. Mit Fleischbrühe und Wein aufgießen, mit Essig-Essenz, Zucker, Kräutern und Koriander abschmecken. 20 Minuten schmoren lassen. 5 Minuten vor Ende der Garzeit die Fleischröllchen zugeben und mit erhitzen. Zum Schluß die Crème fraîche unterrühren und heiß servieren. *Abbildung rechts*

GEMÜSE-PESTO-SUPPE

*500 g Kartoffeln, 500 g Brechbohnen, 500 g Fleischtomaten,
4 Knoblauchzehen, 1 Lorbeerblatt, 1 Zweig Oregano, 1 Zweig
Thymian, Salz, schwarzer Pfeffer, 2 l Wasser, Salz, 200 g Makkaroni,
1 EL Basilikum-Pesto aus dem Glas (Fertigprodukt),
100 g geriebener Parmesan*

Die Kartoffeln schälen und würfeln. Die Bohnen putzen, waschen und in Stücke schneiden. Die Tomaten kurz in kochendes Wasser tauchen, häuten, vierteln, entkernen und in grobe Stücke teilen. Die Knoblauchzehen schälen und fein hacken. Die Kartoffeln mit den Bohnen, dem Knoblauch und den gewaschenen Kräutern im Wasser aufsetzen, dann 20 Minuten kochen lassen.

Die in kurze Stücke gebrochenen Makkaroni und die Tomaten zugeben, nochmals erhitzen und 15 Minuten leicht kochen lassen. Die Kräuter entfernen, mit Salz und frisch gemahlenem Pfeffer abschmecken. Beim Servieren je einen Teelöffel von dem Basilikum-Pesto in den Teller geben, und die Suppe je nach Geschmack mit Parmesan bestreuen.

MEXIKANISCHER BOHNENTOPF

350 g rote Kidney-Bohnen, 1 Zwiebel,
1 l Wasser, 600 g Rindfleisch, 2 Zwiebeln, 4 Knoblauchzehen,
2 grüne Paprikaschoten, 2 EL Olivenöl, 1 rote Chilischote,
500 g Fleischtomaten, 1 EL Rindfleisch-Basis oder gekörnte Brühe,
1/2 TL Thymian, 1 EL Paprika edelsüß, Salz

Die Bohnen über Nacht in Wasser einweichen, dann das Wasser abgießen. Die Bohnen mit der geschälten, geviertelten Zwiebel in dem Wasser ca. 20 Minuten kochen, dann abgießen und beiseite stellen. Das Fleisch waschen und in feine Streifen schneiden. Die Zwiebeln und die Knoblauchzehen schälen und in Würfel schneiden. Die Paprikaschoten waschen, entkernen und in Streifen schneiden. Das Öl in einem Topf zerlassen, das Fleisch, die Zwiebeln, die Knoblauchzehen und die Paprika dazugeben und 10 Minuten dünsten. Die Chilischote waschen, entkernen und fein hakken. Die Tomaten kurz in kochendes Wasser tauchen, häuten, vierteln, entkernen und in grobe Stücke teilen. Die Tomaten und Chilischote zugeben, ebenso die Bohnen mit dem Kochwasser. Mit Rindfleisch-Basis oder gekörnter Brühe, Thymian, Paprika und Salz würzen und zugedeckt 30 Minuten köcheln lassen.

Gemüse – Beilagen

MORCHELN IN SAHNESAUCE

500 g frische oder getrocknete Morcheln, 1 Zwiebel,
1 Knoblauchzehe, 2 EL Butter, 250 ml Rinderfond, 250 g saure Sahne,
1 Bund Petersilie, 1 EL Mehl, 2 EL Wasser, 2 Eigelb, Salz, Pfeffer

Die frischen Morcheln putzen, mehrmals sehr gut waschen und abtropfen lassen, dann in Ringe schneiden. Getrocknete Morcheln erst gut abbrausen und dann in lauwarmem Wasser ca. 30 Minuten einweichen, das Einweichwasser durch einen Papierfilter gießen, damit eventueller Sand zurückbleibt. Den Sud für die Sauce verwenden. Die Zwiebel und die Knoblauchzehe schälen und fein würfeln. Die Butter in einem Topf erhitzen und die Zwiebel- und Knoblauchwürfeln darin andünsten, dann die Morcheln zugeben und umrühren. Mit dem Rinderfond aufgießen und 10 Minuten kochen lassen. Die saure Sahne einrühren. Die Petersilie waschen und fein hacken. Das Mehl mit dem Wasser anrühren, zu den Morcheln geben, nochmals aufkochen lassen und die Petersilie dazurühren. Die Eigelbe verquirlen und unter die nicht mehr kochenden Morcheln rühren. Mit Salz und frisch gemahlenem Pfeffer abschmecken.

Als Beilage zu Fleisch und Wild. Mit Nudeln als Hauptgericht oder eine kleinere Portion als Vorspeise.

OKRA-
TOMATEN-GEMÜSE

500 Okraschoten, Salzwasser, etwas Essig,
500 g Tomaten, 2 Zwiebeln, 3 EL Keimöl, 250 ml Wasser,
3 gestr. EL hellen Soßenbinder (Fertigprodukt), 2 EL gehackter
Basilikum, Salz, schwarzer Pfeffer

Die Okraschoten waschen, Stielansätze und Spitzen abschneiden. Die Schoten in wenig Salzwasser mit Essig 5 Minuten kochen lassen. Das Kochwasser abgießen, die Okraschoten abbrausen und abtropfen lassen. Die Tomaten überbrühen, abziehen, achteln und entkernen. Zwiebeln schälen und würfeln. Das

Öl in einem Topf erhitzen und die Zwiebelwürfel darin andünsten. Die Okraschoten und die Tomaten hinzugeben, aufkochen lassen und den Soßenbinder unter Rühren einstreuen. Noch 1 Minute kochen lassen. Das Gemüse mit dem Basilikum, Salz und frisch gemahlenem Pfeffer abschmecken.   *Abbildung rechts*

FENCHEL-
TOMATEN-GEMÜSE

2 Fenchelknollen, 10 g Butter, 4 EL Fleischbrühe,
2 Knoblauchzehen, 250 g Fleischtomaten, 150 g Crème fraîche,
125 g süße Sahne, 1 TL Mehl, 1 Eigelb, Salz, schwarzer Pfeffer,
2 TL Essig-Essenz 25%, 1/2 TL Zucker,
2 EL Schnittlauchröllchen

Die Fenchelknollen putzen, waschen und in je 4 - 5 Scheiben schneiden. Eine flache Form mit Butter ausstreichen, die Fenchelscheiben schuppenartig einlegen und die Brühe dar-

übergeben. Die Knoblauchzehen schälen und durch die Presse drücken. Den Fenchel im vorgeheizten Backofen zugedeckt bei 200 Grad C 30 Minuten garen. In der Zwischen-

zeit die Tomaten waschen, in Scheiben schneiden und diese zwischen
den Fenchel stecken. Die Crème
fraîche mit Mehl, püriertem Knoblauch, dem Eigelb, Essig-Essenz,
dem Zucker und 1 Eßlöffel von den
Schnittlauchröllchen verrühren. Mit
Salz und frisch gemahlenem Pfeffer
abschmecken, dann über das Gemüse gießen. Im Backofen dann
nochmals 10 Minuten überbacken.
Vor dem Servieren den restlichen
Schnittlauch darüber streuen. Zu
kurzgebratenem Fleisch reichen
oder mit Kartoffelpüree zu Tisch
bringen.

REISSALAT MIT ZUCCHINI

*150 g Langkorn-Naturreis (Reformhaus), 2 mittelgroße
Zucchini, Meersalz, 2 Knoblauchzehen, Majoran, Thymian,
2 EL Olivenöl, 2 EL Rotweinessig*

Den Reis in sprudelndem Salzwasser ca. 25 - 30 Minuten sprudelnd kochen. Die Zucchini waschen, der Länge nach halbieren und in Scheiben schneiden. Die Knoblauchzehen schälen und zerdrücken, mit den Gewürzen, Meersalz, Rotweinessig und Olivenöl vermischen. Den Reis mit den Zucchini und der Sauce vermischen, ca. 30 Minuten durchziehen lassen. Zu gefüllten Auberginen servieren. *Abbildung Seite 29*

GEMÜSESCHNITZEL

*500 g gemischtes Gemüse (z. B. Zucchini, Lauch, Blumenkohl,
Austernpilze, Champignons, Paprikaschoten usw.), 1 l Wasser, Salz.
Für den Teig: 1/2 l Milch, 250 g Butter, 200 g Vollkornmehl, 8 Eier.
Außerdem: 1 Bund Petersilie, 1 Bund Schnittlauch, Salz, schwarzer
Pfeffer, gemahlene Muskatnuß. Zum Ausbacken: Pflanzenöl*

Das Gemüse putzen, waschen und in kleine Stücke schneiden. Das Salzwasser zum Kochen bringen, das Gemüse 3 Minuten blanchieren und kalt abschrecken. Die Milch mit der Butter unter Rühren aufkochen lassen. Das gesiebte Mehl hinzufügen und so lange rühren, bis sich der Teig vom Boden löst. Der Topfboden wird weiß. Den Teigklumpen in einer Rührschüssel kurz abkühlen lassen, bis er noch warm ist, dann nacheinander von Hand oder mit der Küchenmaschine die Eier einzeln unterarbeiten. Solange rühren, bis der Brandteig schwer vom Kochlöffel reißt und lange Spitzen bildet. Kräuter waschen und kleinschneiden. Das Gemüse mit den Kräutern zum Brandteig geben und mit den Gewürzen abschmecken. Aus dem Teig Schnitzel formen, im heißen Fett von beiden

Seiten goldbraun anbraten und auf eine Platte legen. Den Backofen auf 180 Grad C vorheizen und die Schnitzel 10 Minuten weiterbacken.

ZUCCHINIPUFFER

550 g Zucchini, 200 g Kartoffeln, 1 Zwiebel, Salz,
4 Eier, 1 EL Mehl. Zum Ausbacken: Pflanzenfett oder Öl

Die Zucchini reiben und etwas ausdrücken. Die Kartoffeln schälen, reiben, ausdrücken und zu den Zucchinis geben. Die Zwiebel schälen und ebenfalls reiben. Alles in eine Schüssel geben mit Salz, den Eiern und dem Mehl zu einem Teig verarbeiten. Das Fett in der Pfanne erhitzen und handtellergroße, knusprige Puffer ausbacken.

SPINATREIS

200 g Langkorn-Naturreis (Reformhaus), 300 g Blattspinat,
Muskatblüte, Meersalz, 2 mittelgroße Zwiebeln, 1/2 l Gemüsebrühe
aus Extrakt (Reformhaus), 10 g Pflanzenmargarine,
Lorbeerblatt, 4 gehackte Basilikumblätter

Den Reis in Salzwasser ca. 25 - 30 Minuten sprudelnd kochen, abtropfen lassen. Den Blattspinat verlesen, kurz blanchieren und mit Muskatblüte und Salz würzen. Die Zwiebeln schälen und würfeln. Pflanzenmargarine in einem Topf erhitzen und die Zwiebeln darin andünsten. Den Reis hinzugeben und mit kochender abgeschmeckter Gemüsebrühe aufgießen. Das Lorbeerblatt zugeben und bei geschlossenem Deckel ca. 25 - 30 Minuten auf kleiner Flamme garen. Das Lorbeerblatt herausfischen, den Reis mit dem Spinat mischen, nochmals abschmecken. Die Basilikumblätter darüber streuen. Der Reis sieht auch sehr appetitlich im Reisrand aus.

Abbildung Seite 29

ZUCCHINI-PFANNE

1 kg Zucchini, 250 g Champignons, 1 Bund Frühlingszwiebeln,
4 EL Pflanzenöl, 1 Knoblauchzehe, Salz, schwarzer Pfeffer, Thymian,
Rosmarin, Basilikum (frisch oder getrocknet), 4 EL Weißwein

Die Zucchini waschen und in finger-lange Stücke schneiden und der Länge nach vierteln. Die Champignons putzen und halbieren. Die Frühlingszwiebeln ohne Grün längs halbieren. Das Grün in breite Ringe schneiden. Das Öl in einer großen Pfanne erhitzen, das vorbereitete Gemüse (ohne Zwiebelgrün) zusammen mit der geschälten und durchgepreßten Knoblauchzehe leicht anbraten. Die Gewürze und die gehackten Kräuter hinzufügen und bei schwacher Hitze zugedeckt garen. Dann das Zwiebelgrün zugeben und kurz erhitzen. Den Weißwein dazugießen und die Pfanne nochmals mit Salz und frisch gemahlenem Pfeffer abschmecken. Als Beilage zu Rumsteak und Reis.

Abbildung rechts

ANANAS-SAUERKRAUT

50 g Schweineschmalz, 1 Zwiebel,
750 g Sauerkraut, 6 Wacholderbeeren, 1 Lorbeerblatt, 6 Pfefferkörner,
1 EL Kümmel, 1 Bund Suppengrün, 250 g geräuchertes Wammerl,
250 ml Fleischbrühe, 1 TL Zucker, 1 kleine Dose
Ananasstücke (425 g)

Das Schmalz in einer Pfanne erhitzen und die geschälte, gewürfelte Zwiebel darin kurz andünsten. Das Sauerkraut in einem Topf erhitzen, die Zwiebelwürfel und die Gewürze dazugeben. Das Suppengrün putzen, waschen, grob zerkleinern und ebenfalls zum Kohl geben. Das geräucherte Wammerl obenauf legen, die Fleischbrühe hinzugießen und das Kraut 60 Minuten leicht kochen lassen. Im Schnellkochtopf 12 Minuten kochen. Das Kraut mit dem Zucker abschmecken, das Lorbeerblatt und das Wammerl herausnehmen. Die Ananasstücke abtropfen lassen,

unter das Sauerkraut mischen und nochmals aufkochen lassen. Tip:

Sauerkraut läßt sich auch mit weißen und blauen Weintrauben verfeinern.

MÖHREN-PFANNKUCHEN

500 g Möhren, 80 g feingeschroteter Hafer, 2 Eier,
1 Bund Petersilie, 1 Bund Dill, Salz, schwarzer Pfeffer,
1 EL Haferflocken, Kokosfett, Curry-Ketchup

Die Möhren waschen, putzen und fein reiben. Mit dem Haferschrot, den Eiern, den gewaschenen und feingehackten Kräutern und Gewürzen gut vermischen. Den Teig etwa 10 Minuten stehenlassen. Das Fett in einer Bratpfanne erhitzen. Den Teig eßlöffelweise hineingeben, flachdrücken und von beiden Seiten goldbraun backen.
Die Pfannkuchen mit Curry-Ketchup anrichten.

SPARGEL MIT HELLER SAUCE

1 kg frischer Spargel, 1 TL Zucker, 1 TL Salz, 1 TL Zitronensaft,
1 l Wasser. Für die Sauce: 100 g Butter, 1 EL Mehl, 2 Eigelb, Salz,
weißer Pfeffer, 1 Spritzer Zitronensaft, 1 Bund Petersilie

Den Spargel von oben nach unten schälen. Zucker, Salz und Zitronensaft ins Wasser geben, den Spargel ins kochende Wasser legen und 30 Minuten kochen. 1 Eßlöffel Butter mit dem Mehl zu einer hellen Mehlschwitze rühren, mit Spargelbrühe aufgießen und zu einer sämigen Sauce kochen. Vom Herd nehmen, die Eigelbe verquirlen und unterrühren. Mit Salz, frisch gemahlenem Pfeffer und einem Spritzer Zitronensaft abschmecken. Den Rest der Butter, stückchenweise, mit dem Schneebesen einrühren, bis die Sauce cremig wird. Die Petersilie waschen, kleinhacken und unter die Sauce rühren. Den Spargel auf einer Platte anrichten Mit gekochtem oder rohem Schinken, Salzkartoffeln und der Sauce servieren.

Tip: Schwarzwurzeln kann man nach dem gleichen Rezept zubereiten und als Beilage servieren.

FRÜHLINGSGEMÜSE MIT KRÄUTER-HOLLANDAISE

4 junge Kohlrabi, Meersalz, geriebene Muskatnuß, weißer Pfeffer, 100 g Butter, 3 Eigelbe, 3 EL Weißwein oder 2 EL Zitronensaft, Salz, weißer Pfeffer, 1 Bund Kerbel

Den Kohlrabi putzen, schälen und in dünne Scheiben schneiden, die zarten Kohlrabiblättchen aufbewahren. Die Kohlrabischeiben und die Gewürze mit wenig Wasser ca. 15 Minuten gar dünsten. Die Blättchen zum Schluß mit erhitzen. In der Zwischenzeit die Butter langsam zerlaufen lassen. Die Eigelbe, den Wein, Salz und frisch gemahlenen Pfeffer in eine Schüssel geben und im Wasserbad cremig aufschlagen. Nach und nach die flüssige Butter zugeben. Den Kerbel waschen, fein schneiden und dazugeben. Die Kohlrabi auf Teller verteilen und mit der Hollandaise übergießen. Die Kohlrabi mit kleinen Pellkartoffeln servieren.

VEGETARISCHES GEMÜSE-RISOTTO

*2 Kochbeutel 8 Minuten-Reis (je 125 g), 2 Zwiebeln,
200 g Möhren, 1 Stange Lauch, 200 g Zucchini, 3 EL Öl, 20 g Butter,
1/2 TL Thymian, 1/2 TL Kräuter der Provence, Salz, schwarzer Pfeffer,
250 ml Gemüsebrühe, 125 ml süße Sahne, 1 EL gehackte,
glatte Petersilie*

Die Kochbeutel mit dem Reis nach Packungsbeilage zubereiten. Das Gemüse putzen bzw. schälen, waschen und in streichholzdicke und -lange Streifen schneiden. Das Öl und die Butter erhitzen und darin das Gemüse unter Wenden andünsten. Mit Thymian, der Kräutermischung, Salz und frisch gemahlenem Pfeffer würzen. Die Gemüsebrühe und die Sahne hinzugießen. 8 Minuten garen, so daß das Gemüse noch Biß hat. Den Reis unter das Gemüse mischen, erhitzen und mit Petersilie bestreut servieren.

Abbildung rechts

BUNTER PAPRIKA-REIS

*250 g Langkornreis, 3/4 l Rinderbrühe, je 1 rote, grüne
und gelbe Paprikaschoten (ca. 300 g), 1 Zwiebel, 1 Knoblauchzehe,
2 EL Butter, Salz, schwarzer Pfeffer, 1 Bund Petersilie*

Den Reis in der Brühe aufkochen lassen, dann im geschlossenen Topf 25 Minuten zum Quellen stehenlassen. Die Paprikaschoten waschen, putzen und fein würfeln. Die Zwiebel und die Knoblauchzehe schälen und ebenfalls in Würfel schneiden. Die Butter in einer Pfanne zerlassen, die Zwiebel- und Knoblauchwürfel darin glasig andünsten, die Paprikawürfel dazugeben und 10 Minuten weiterdünsten lassen. Zum Schluß alles unter den Reis mischen und mit Salz und frisch gemahlenem Pfeffer abschmecken. Die Petersilie waschen, kleinschneiden und den Reis damit bestreuen. Zu kurzgebratenem oder gegrilltem Fleisch servieren.

SELLERIEPÜREE

1 kg Sellerie, Salz, weißer Pfeffer,
1/2 EL Zitronensaft, 1 TL Zucker, 200 g Sahne

Den Sellerie gründlich waschen. Im Schnellkochtopf Salzwasser erhitzen und den Sellerie darin 12 - 15 Minuten garen. Die normale Garzeit im Kochtopf beträgt 1 Stunde. Den Sellerie abschrecken, schälen und im Mixer pürieren. Mit Salz, frisch gemahlenem Pfeffer, Zitronensaft und Zucker abschmecken. Die Sahne steif schlagen und unter das Selleriepüree heben.
Zu Geflügel und Wild servieren.

PRINZESSBOHNEN

1 kg frische Prinzeßbohnen, 1 1/2 l Wasser,
1 TL Salz, 1 Bund Bohnenkraut, 60 g Butter

Die Bohnen putzen und waschen. Das Salzwasser mit dem Bohnenkraut zum Kochen bringen und die Bohnen 10 Minuten garen, dann kalt abschrecken. Butter in einem Topf erhitzen und die Bohnen nochmals 5 Minuten darin erhitzen. Die Bohnen passen zu Lamm, Wild, Kalb, Rind, Schwein. Tip: Die Bohnen können auch in Speck geschwenkt werden.

CHAMPIGNON-REIS

250 g Langkornreis, 3/4 l Kalbsfond, 250 g Champignons,
2 EL Butter, nach Geschmack Salz, weißer Pfeffer, 1 Bund Petersilie

Den Reis im Fond aufkochen lassen, dann im geschlossenen Topf 25 Minuten zum Quellen stehenlassen. Die Champignons putzen, wenn nötig waschen und kleinschneiden. Die Pilze in der Butter 5 Minuten dünsten und zum Schluß unter den Reis mischen. Eventuell mit Salz und frisch gemahlenem Pfeffer abschmecken. Die Petersilie waschen, kleinschneiden und den Reis damit bestreuen.

ZUCCHINI-REIS

250 g Langkornreis, 3/4 l Rinderbrühe, 250 g Zucchini, 1 Zwiebel, 1 Knoblauchzehe, 2 EL Butter, Salz, schwarzer Pfeffer, 1 Bund Petersilie

Den Reis in der Brühe aufkochen, dann im geschlossenen Topf 20 Minuten zum Quellen stehenlassen. Die Zucchini waschen, putzen und fein würfeln. Die Zwiebel und die Knoblauchzehe schälen und ebenfalls würfeln. Die Butter in einer Pfanne zerlassen, die Zwiebel- und Knoblauchwürfel glasig andünsten, die Zucchini dazugeben und 5 Minuten weiterdünsten lassen. Zum Schluß alles unter den Reis mischen und nochmals mit Salz und frisch gemahlenem Pfeffer abschmecken. Die Petersilie waschen, kleinschneiden und den Reis damit bestreuen. Den Reis zu gefüllten Auberginen oder kurzgebratenem Fleisch servieren.

GURKENGEMÜSE

50 g durchwachsener Speck, 60 g Butter, 125 ml Fleischbrühe, 60 g Mehl, 1 EL Weinessig, 1 TL Zucker, Salz, 500 g Salatgurke

Den Speck würfeln und in einer Pfanne auslassen. Die Butter und das Mehl hinzugeben und eine helle Mehlschwitze herstellen. Mit der Brühe aufgießen und mit Essig, Zucker und Salz abschmecken. Die Salatgurke schälen, halbieren, die Kerne entfernen und in 1 cm dicke Scheiben schneiden. Die Gurken in die Sauce geben und 5 Minuten gar schmoren. Hin und wieder umrühren. Als Beilage zu Fleisch servieren.

BUNTE
REIS-GEMÜSEPFANNE

*70 g Wildreis, 250 ml Wasser, Salz, 1 Zwiebel (50 g),
1 Stück Staudensellerie (100 g), 100 g Zucchini, 250 g Broccoli,
3 Tomaten, 100 g passierte Tomaten, 2 EL Rotwein, 1/2 TL getrockneter
Oregano, Salz, weißer Pfeffer, 5 Kirschtomaten, 50 g kalorienreduzierte
Jagdwurst, 50 g kalorienreduzierter Rottaler Käse, 1 Knoblauchzehe,
1/2 Bund Petersilie*

Den Reis im Salzwasser aufkochen und 25 Minuten quellen lassen. Die Zwiebel schälen und würfeln. Den Staudensellerie und die Zucchini putzen, waschen und würfeln. Den Broccoli waschen und in Röschen teilen. Die Tomaten waschen, von den Stielen befreien und fein würfeln. Das Gemüse, die passierten Tomaten, den Rotwein, Oregano, Salz und frisch gemahlenen Pfeffer in einen Topf geben und 15 Minuten dünsten. Die Kirschtomaten waschen und halbieren. Die Jagdwurst würfeln. Den Reis, die Kirschtomaten und die Jagdwurst unterheben und weitere 5 Minuten garen. Nach Ende der Garzeit Käse, geschälte Knoblauchzehe und die gewaschene Petersilie im Mixer pürieren und unter die heiße Reis-Gemüsepfanne mischen. *Abbildung unten*

PIKANTE SCHWARZWURZELN

1 kg frische Schwarzwurzeln, 1 l Wasser, Salz, 3 EL Essig-Essenz 25%, 40 g Butter, 2 EL Mehl, 125 g Sahne, 1 TL Zucker

Die Schwarzwurzeln waschen, dünn schälen und in mundgerechte Stücke schneiden. Das Wasser mit Salz und Essig-Essenz zum Kochen bringen und die Schwarzwurzeln darin 20 - 25 Minuten garen. Das Gemüse abgießen und den Sud auffangen. Aus Butter und Mehl eine helle Schwitze zubereiten. Mit dem Sud und der Sahne aufgießen, kurz aufkochen lassen. Mit Zucker süßsauer abschmecken, und die Schwarzwurzeln in der Sauce heiß werden lassen.

BUNTES GEMÜSE

500 g Brechbohnen, 375 g Karotten, 250 g kleine Zwiebeln, 2 Knoblauchzehen, 40 g Butter, 1 Zweig Bohnenkraut, Salz, schwarzer Pfeffer, 1 Bund Petersilie

Die Bohnen putzen und einmal durchbrechen. Die Karotten schälen und in Scheiben schneiden. Die Zwiebeln schälen und halbieren. Die Knoblauchzehen schälen und fein hacken und in der Butter andünsten. Das Gemüse dazugeben und gut dünsten. Etwas Wasser, Salz, frisch gemahlenen Pfeffer und Bohnenkraut dazugeben und im geschlossenen Topf 20 - 26 Minuten dünsten. Die Petersilie waschen, kleinhacken und über das fertige Gemüse streuen.

Gemüse süßsauer

ZUCCHINI UND AUSTERNPILZE, MARINIERT

*2 Zucchini, 500 g Austernpilze, 2 Knoblauchzehen,
2 Chilischoten, 2 Lorbeerblätter, 125 ml Olivenöl, 3 EL Essig-Essenz
25%, grob geschroteter Pfeffer*

Die Zucchini waschen und in je 3 Stücke teilen. Jedes Stück der Länge nach in 1 cm dicke Scheiben schneiden. Die Austernpilze mit Küchenpapier trocken abreiben, große Pilze der Länge nach teilen, kleine ganz lassen. Die Knoblauchzehen schälen und durch die Presse drükken. 3 Eßlöffel Öl in einer großen Pfanne erhitzen und den Knoblauch, die Chilischoten und die Lorbeerblätter darin anbraten. Das Gemüse nacheinander darin 5 Minuten dünsten. Aus der Pfanne in eine Schüssel geben. Das restliche Öl mit der Essig-Essenz, dem Pfeffer und etwas Wasser zum Bratenfett geben und noch warm über das Gemüse gießen. 2 Stunden kalt stellen. Das Gemüse auf einer Platte anrichten, mit der Marinade begießen und zu gegrilltem Fleisch oder mit Stangenweißbrot als Vorspeise servieren.

EINGELEGTE KIRSCHTOMATEN

100 g Silberzwiebeln oder Schalotten,
250 ml Salzwasser, 500 g Kirschtomaten, 200 g grüne,
große Oliven, Salz, 1 EL getrockneter grüner Pfeffer,
125 g Zucker, 6 EL Essig-Essenz 25%

Die Zwiebeln schälen und in dem Salzwasser 8 Minuten garen. Über ein Sieb abgießen und den Sud auffangen. Die gewaschenen Tomaten einige Male mit einem Hölzchen einstechen. Zusammen mit den Zwiebeln und Oliven in ein passendes Deckelglas füllen. Den Zwiebelkochsud mit Wasser zu 1/2 l Flüssigkeit auffüllen, mit den Pfefferkörnern und dem Zucker aufkochen. Mit Essig-Essenz und Salz scharfsauer abschmecken. Etwas abkühlen lassen und über das Gemüse gießen. Das Glas verschließen und vor dem Verzehr 3 - 4 Tage kühl stellen. Die eingelegten Kirschtomaten sind im Kühlschrank 3 - 4 Wochen haltbar.

SÜSS-SAUER EINGELEGTER KÜRBIS

1,5 kg Kürbisfleisch. Für den Sud: 1 l Wasser, 8 EL Essig-Essenz 25%,
750 g Zucker, 3 Zimtstangen, 3 Sternanis, 1/2 TL Salz

Das Kürbisfleisch in Würfel schneiden. Aus dem Wasser, der Essig-Essenz, dem Zucker, der Zimtstangen, dem Sternanis und Salz einen Sud kochen. Die Kürbiswürfel in kleinen Portionen darin nur kurz garen, sie dürfen nicht zu weich werden. Auf einem Sieb abtropfen lassen und in Steintöpfe oder Gläser füllen. Den Sud wieder aufkochen und über die Kürbisstücke gießen. Die Gefäße zubinden, nach 2 Tagen den Sud abgießen, noch einmal aufkochen und wieder über die Kürbisstücke gießen. Eventuell noch einmal mit Essig-Essenz abschmekken. Diese Prozedur muß noch zweimal wiederholt werden. Die Kürbisse passen zu gekochtem Fleisch, Fisch und Wild.

EINGELEGTE KNOBLAUCHZEHEN

8 Knoblauchzehen, 2 Zweige Rosmarin,
1 Peperoni, 1/2 l Soja- oder Olivenöl

Die Knoblauchzehen schälen und mit den Rosmarinzweigen und der Peperoni in ein Glas geben. Das Öl dazugießen und das Glas luftdicht verschlossen etwa 1 Woche durchziehen lassen.

TOMATEN-PAPRIKA-CHUTNEY

1,5 kg Tomaten, je 3 rote und grüne Paprikaschoten,
750 g Zwiebeln, 6 EL Essig-Essenz 25%, 1/2 l Rotwein, 600 g brauner
Zucker, 3 TL bunter Pfeffer (grob geschrotet), je 3 TL Salz, Paprika
edelsüß, Senf, 1 TL gemahlene Nelke

Die Tomaten kurz in kochendes Wasser tauchen, häuten und grob zerkleinern. Die Paprikaschoten waschen, putzen, entkernen und in Würfel schneiden. Die Zwiebeln schälen und würfeln. Das Gemüse mit Essig-Essenz und Rotwein in einen Topf geben und 1 Stunde offen kochen lassen, damit die Flüssigkeit verdampft. Den Zucker und die Gewürze zugeben und nochmals 30 Minuten weiterkochen. Ab und zu umrühren. Heiß in Gläser füllen und verschließen. *Abbildung rechts*

ZUCCHINI-RELISH

*1 kg Zucchini, 1 kg Zwiebeln, 125 ml Olivenöl,
6 Knoblauchzehen, 3 rote Chilischoten, 250 ml Sherry, 5 EL Essig-
Essenz 25%, Salz, schwarzer Pfeffer, Zucker*

Die Zucchini putzen, waschen und fein würfeln. Die Zwiebeln schälen und ebenfalls würfeln. Das Öl in einem großen Topf erwärmen und das Gemüse hineingeben. Unter Rühren 20 Minuten andünsten. Die Knoblauchzehen schälen und durch die Presse drücken. Die Chilischote in Ringe schneiden und mit dem Knoblauch zum Gemüse geben. Mit dem Sherry, der Essig-Essenz, Salz, frisch gemahlenem Pfeffer und Zucker abschmecken. Weitere 30 Minuten dünsten und noch heiß in Twist-off-Gläser einfüllen und verschließen.

SHERRY-
CHAMPIGNONS

*500 g Champignons, 1 Zitrone, 1 Zwiebel, 2 Knoblauchzehen,
2 EL Butter, 4 cl Sherry, Salz, weißer Pfeffer, 1 Bund Petersilie*

Die Champignons putzen, eventuell waschen, halbieren oder vierteln, je nach Größe. Die Zitrone auspressen und über die Champignons träufeln. Die Zwiebel und die Knoblauchzehen schälen und fein hacken. Die Butter in einer Pfanne erhitzen und die Zwiebel- und Knoblauchwürfel darin andünsten. Die Champignons dazugeben. Mit dem Sherry ablöschen und 5 Minuten dünsten lassen. Mit Salz und frisch gemahlenem Pfeffer abschmecken. Die Petersilie waschen, fein schneiden und kurz vor dem Servieren über die Champignons streuen. Die Champignons schmecken zu gegrilltem und kurzgebratenem Fleisch wie z.B. Lammkoteletts oder auch als Vorspeise.

SCHARFE AUBERGINEN

*1 kg Auberginen, 3 EL Salz, 5 Knoblauchzehen,
3 Chilischoten, 1/2 l Weißwein, 4 EL Essig-Essenz 25%,
3 Lorbeerblätter, 250 ml Olivenöl*

Die Auberginen putzen, waschen, grob würfeln oder in Scheiben schneiden. Mit Salz bestreuen und über Nacht ziehen lassen. In ein Sieb gießen und gut ausdrücken. Die Knoblauchzehen schälen und in dünne Scheiben schneiden. Die Chilischoten in Ringe teilen, wer es nicht so scharf mag, kann die Kerne entfernen. Beides unter die Aubergi-nen geben. Den Weißwein mit der Essig-Essenz mischen und über die Auberginen gießen. Die Lorbeerblät-ter dazugeben und 24 Stunden zie-hen lassen. Dann das Öl hinzuge-ben und gut vermengen. Noch 1 - 2 Tage stehenlassen.

Die Auberginen schmecken gut zu Kurzgebratenem und sind eine herr-liche Beilage zu Gegrilltem.

PIKANTE ZUCCHINI

*500 g Zucchini, 1 Zwiebel, 3 Knoblauchzehen,
125 ml Olivenöl, 125 ml Weißwein, 2 EL Essig, 2 TL scharfer
Senf, Salz, schwarzer Pfeffer*

Die Zucchini waschen und in Schei-ben schneiden. Die Zwiebel und die Knoblauchzehen schälen und würfeln. Das Öl in einen Topf geben und die Zwiebel- und Knoblauch-würfel andünsten. Mit dem Wein und dem Essig ablöschen. Die Zucchini und den Senf zugeben und 5 Minuten schmoren lassen. Mit Salz und frisch gemahlenem Pfeffer abschmecken.

Die Zucchini heiß als Beilage oder kalt als Vorspeise mit Stangen-weißbrot servieren.

91

Rezept-verzeichnis

Bildnachweis:

Umschlagfoto:
Ketchum Public Relations, München

Innenteil:
Biskin S. 77
Dr. Muth PR - Oryza S. 25
Sojaöl S. 65
Du darfst S. 85
Komplett Büro - Aupi S. 13
Bresso Frischkäse S. 36
Knorr/Maizena Koch- und Back-Centrum S. 16, 61, 73
Maggi Kochstudio S. 53
Molkerei Müller S. 49
neuform-Kochstudio S. 32, 29, 37, 45
prhh Public-relations – Essig-Essenz S. 41, 57, 69
Segmenta PR – Reis-Fit S. 17, 81